AUTOCUISEUR
(MARMITE À PRESSION)

AUTOCUISEUR

(MARMITE À PRESSION)

Plus de 100 délicieuses recettes rapides

PAR GINA STEER

TRADUIT DE L'ANGLAIS PAR
CLAUDINE AZOULAY

MODUS VIVENDI

www.modusaventure.com

Version française publiée par **Les Publications Modus Vivendi Inc.**
3859, autoroute des Laurentides
Laval (Québec) H7L 3H7

Copyright © 2001 Quintet Publishing Limited.

Dépôt légal: 3ᵉ trimestre 2001
Bibliothèque nationale du Québec
Bibliothèque nationale du Canada
Bibliothèque nationale de France

Coordination de la production: Sabine Cerboni
Mise en page de l'édition française: Josée Michaud

Directrice de projet: Toria Leitch
Éditrice: Anna Bennett
Designer: Deep Design
Photographies: Ferguson Hill
Styliste culinaire: Vicki Smallwood
Directeur littéraire: Richard Dewing

Données de catalogage avant publication (Canada)
Steer, Gina
Autocuiseur: plus de 100 délicieuses recettes rapides
Traduction de: The pressure cooker cookbook
ISBN 2-89523-060-9
1. Cuisson sous pression. I. Titre.
TX840.P7S7414 2001   641.5'87   C2001-940520-0

Visitez notre site web à l'adresse: www.modusaventure.com

REMERCIEMENTS DE L'AUTEURE

Je tiens à remercier vivement Juliet Barker qui m'a gentiment aidée à essayer les recettes. Mes remerciements vont aussi à Vicki Smallwood qui a travaillé très fort dans un studio surchauffé, en compagnie du photographe Ferguson Hill, afin de produire de superbes illustrations.

J'aimerais également remercier Prestige pour m'avoir aidée à rédiger cet ouvrage ainsi que pour m'avoir prêté des autocuiseurs qui ont servi pour les recettes et les photographies, et Divertimenti pour m'avoir aussi prêté un autocuiseur.

TABLE DES MATIÈRES

INTRODUCTION   6
INDEX   128

 17 BOUILLONS ET SOUPES

 89 LÉGUMES

 31 POISSONS

 103 LÉGUMINEUSES, PÂTES ET CÉRÉALES

 45 VIANDES

 117 DESSERTS ET CONSERVES

 67 VOLAILLES

INTRODUCTION

J'ai encore bien vivant à l'esprit le souvenir du sifflement et du nuage de vapeur dégagés par l'autocuiseur dans lequel ma mère faisait cuire de nombreux repas. Et je me rappelle aussi clairement l'incident inévitable au cours duquel notre souper, fût-il une soupe ou un ragoût, finissait sur le plafond… ce que je trouvais toujours très amusant, ma mère beaucoup moins.

Les temps changent, cependant, et les autocuiseurs sont aujourd'hui des appareils très sophistiqués, aux lignes esthétiques, beaucoup plus sûrs et faciles d'emploi qu'auparavant et tout à fait adaptés au mode de vie du vingt et unième siècle. La cuisson à l'autocuiseur est saine car elle requiert un minimum de matières grasses, ce qui contribue à réduire le taux de cholestérol. De plus, elle est rapide. À une époque où le temps manque, il nous est bien souvent difficile de préparer un repas à la fois diététique et savoureux autant pour notre famille que pour nos amis. Un autocuiseur permet de réaliser un tel exploit en quelques minutes et c'est lui qui subit pour cela toute la pression!

Si vous ne connaissiez pas cette méthode de cuisson, je suis persuadée que lorsque vous vous serez familiarisé un peu avec elle, vous ne pourrez plus vous en passer. Venez donc découvrir la magie de l'autocuiseur qui va vous apporter deux fois plus de saveur en moins de la moitié du temps.

NOTIONS ÉLÉMENTAIRES

Avant de commencer à utiliser votre autocuiseur, il serait bon que vous preniez connaissance de quelques règles essentielles. Il existe une vaste gamme d'appareils et il vous faut absolument lire attentivement les instructions du fabricant avant de vous servir du vôtre car elles peuvent varier d'un modèle à l'autre.

Le principe de base de la cuisson à l'autocuiseur est le suivant: les ingrédients et le liquide sont enfermés dans la marmite et la vapeur qui, dans une casserole ordinaire, s'échappe librement, est ici emprisonnée et augmente alors la pression et la température de cuisson à l'intérieur de la cuve. Cette température élevée associée à la vapeur qui pénètre dans les aliments permettent à ceux-ci de cuire rapidement tout en s'attendrissant. Dans des conditions normales, l'eau bout à 100 °C/212 °F; cette température est régie par la pression atmosphérique et elle ne peut pas augmenter même si on laisse l'eau bouillir longtemps. À l'intérieur du cuiseur, le niveau de pression augmente, ce qui à son tour élève la température à laquelle le liquide se met à bouillir et réduit de ce fait le temps de cuisson.

Dans la plupart des autocuiseurs, on met les aliments en même temps que la quantité de liquide requise. Cette dernière est essentielle car l'autocuiseur ne doit jamais être à sec lorsqu'il est sous pression; il devrait toujours y avoir un minimum de 300 ml / ½ pt de liquide dans la cuve. On place ensuite le couvercle, on le verrouille, on met l'autocuiseur sur le feu et on le fait rapidement monter en pression. On réduit ensuite légèrement la chaleur et on calcule à partir de là le temps de cuisson.

CONSEILS GÉNÉRAUX

- Ne laissez jamais un autocuiseur sans surveillance sur la cuisinière. Le liquide de cuisson pourrait s'évaporer complètement, ce qui endommagerait l'appareil. Si cela se produit, éteignez le feu et laissez le cuiseur refroidir avant de le bouger.

- Mettez toujours la quantité requise de liquide. Il faut compter au minimum 300 ml/½ pt pour les 15 premières minutes et 150 ml/¼ pt de plus pour chaque tranche de 15 minutes de cuisson additionnelle.

- Ne remplissez jamais trop l'autocuiseur et n'oubliez pas que le niveau de remplissage varie selon les aliments. Pour les céréales et les légumineuses, par exemple, le cuiseur ne doit pas être rempli à plus du tiers de sa capacité, liquide compris.

- Pour les soupes, le riz, les pâtes et certains ragoûts, le cuiseur ne doit pas être rempli à plus de la moitié de sa capacité, liquide compris. Les aliments solides tels que rôtis, légumes et potées ne doivent pas occuper plus des deux tiers de l'autocuiseur.

- Vérifiez si votre cuisinière convient à votre autocuiseur. La base de la marmite devrait être à peu près de la même taille que celle de la source de chaleur.

- Si vous avez une cuisinière au gaz, veillez à ce que les flammes ne lèchent pas les parois de l'autocuiseur.

- Lorsque vous utilisez des récipients à l'intérieur du cuiseur, il faut qu'ils logent largement dans la cuve et qu'ils puissent supporter une température de 130 °C/262 °F.

- Ne placez jamais de récipients par-dessus des aliments qui gonflent en cuisant, comme riz, légumineuses, céréales et pâtes.

- Lorsque vous cuisez à la vapeur, attachez bien le papier ciré (je trouve que le papier ciré convient mieux que l'aluminium pour la cuisson à la vapeur).

- N'utilisez ni métal ni plastique dans l'autocuiseur.

- Huilez légèrement la grille avant d'y déposer des aliments pour les empêcher d'attacher.

- Si vous cuisez des boulettes de pâte, ne les cuisez pas sous pression: en levant, la préparation risque d'obstruer la soupape de sécurité. Ajoutez les boulettes une fois l'autocuiseur décompressé et ne fermez pas le couvercle.

- Enfin, faites attention à n'endommager aucun des composants de l'autocuiseur car son efficacité en serait diminuée.

DESCRIPTION D'UN AUTOCUISEUR

Avant de décider quelle contenance choisir, il est bon d'analyser ses besoins. Un autocuiseur de 5 litres/9 pintes est suffisant pour débuter; un plus petit cuiseur est utile pour la cuisson du riz et des céréales tandis qu'une marmite plus grande est pratique pour les bouillons ou pour cuire en grandes quantités. Les autocuiseurs modernes sont dotés d'un système de sécurité qui empêche la surpression: ils sont donc devenus beaucoup plus sûrs que les anciens modèles. Ils possèdent en général tous les mêmes caractéristiques qui peuvent, par contre, s'appeler différemment.

Les autocuiseurs modernes sont équipés d'un régulateur de cuisson. Cette petite soupape indique que l'autocuiseur a atteint la température requise et qu'il la maintient. Si la soupape s'abaisse durant la cuisson sous pression, c'est sans doute que le feu est trop bas et il faut donc l'augmenter un peu. Les autocuiseurs sont également dotés d'un indicateur de pression. Cette autre soupape vous indique ce qui se passe à l'intérieur de l'autocuiseur: l'indicateur se soulève lorsque la cuve est sous pression et s'abaisse lorsque la pression est libérée et qu'on peut ouvrir le couvercle. Veillez toujours à ce que les deux soupapes soient propres et exemptes de résidus de nourriture. Lavez-les délicatement avec une brosse douce et de l'eau savonneuse. Consultez les instructions du fabricant.

Certains autocuiseurs possèdent deux niveaux de pression; d'autres trois. La pression la plus souvent utilisée est la plus haute, 6,8 kg/15 lb, qui convient à la plupart des aliments. La pression de 4,5 kg/10 lb est employée pour les conserves, les aliments délicats ainsi que les puddings à la vapeur. À ce niveau de pression, le régulateur de cuisson ne se soulève pas et l'on calcule le temps à partir du chuchotement de la soupape et de l'évacuation de la vapeur.

Un feu trop fort provoque un sifflement bruyant; il faut alors le baisser. Si, au contraire, on n'entend aucun chuchotement, il faut augmenter la source de chaleur car elle est trop basse et la nourriture ne cuira pas.

Si l'autocuiseur possède un niveau de pression de 2,25 kg/5 lb, il sert lui aussi aux aliments délicats.

L'autocuiseur est accompagné d'un panier qui sert à cuire plusieurs éléments d'un repas en une seule fois. Si vous l'utilisez pour du riz ou des pâtes, il faut le tapisser de papier d'aluminium. Il est parfois doté d'un séparateur qui permet de cuire différents légumes en même temps.

Le panier est souvent posé sur le support. Certains modèles d'autocuiseurs disposent d'une grille sur laquelle on peut déposer de la nourriture ou qui sert à isoler les aliments.

Un joint en caoutchouc situé à l'intérieur du couvercle permet à l'autocuiseur de fermer bien hermétiquement. Le joint doit toujours être propre et il serait bon de le nettoyer après chaque utilisation et le laisser sécher à l'air libre avant de le replacer.

Une fois la cuisson terminée, retirez les aliments du cuiseur le plus rapidement possible. Ne laissez pas la nourriture y séjourner trop longtemps car elle risquerait de tacher la cuve. Lavez l'appareil à l'eau chaude savonneuse, rincez-le à grande eau et séchez-le comme il faut après chaque utilisation. Si des aliments ont attaché, faites tremper quelque temps l'autocuiseur dans de l'eau savonneuse ou servez-vous d'une brosse à récurer en plastique ou d'un tampon abrasif. N'employez jamais d'eau de Javel; elle pourrait tacher la cuve.

Si un plat a carrément brûlé, préparez une solution concentrée d'eau et de crème de tartre, faites bouillir puis laissez mijoter pendant 20 minutes. Jetez l'eau, lavez à l'eau savonneuse, rincez et essuyez.

Ajoutez à l'eau un peu de jus de citron lorsque vous cuisez à la vapeur afin d'empêcher la décoloration.

Si vous utilisez l'autocuiseur sur une base régulière, il vous faut changer le joint et l'indicateur de pression environ tous les six mois.

PROBLÈMES ÉVENTUELS

- **L'autocuiseur ne monte pas en pression:** l'indicateur de pression ou le joint du couvercle fuient peut-être. Huilez légèrement le joint et si cela ne suffit pas, remplacez la pièce défectueuse.

- **La vapeur s'échappe autour du joint du couvercle:** le bord de l'autocuiseur est sale. Lavez le joint et le bord de l'autocuiseur. Si cela ne suffit pas, vérifiez si le joint est usé et remplacez-le au besoin. Vérifiez si la cuve ou le couvercle du cuiseur sont endommagés. Si oui, retournez l'appareil au fabricant et faites poser le joint qui convient.

- **La vapeur est excessive:** la source de chaleur est peut-être trop forte, la soupape de fonctionnement n'est pas bien positionnée ou l'écrou de la soupape est desserré. Réduisez le feu ou bien replacez la soupape à l'aide d'un chiffon épais ou d'un gant de cuisine et si l'écrou est desserré, faites refroidir l'autocuiseur, ôtez la soupape et le couvercle puis resserrez l'écrou.

- **La vapeur s'échappe à la verticale par l'indicateur de pression:** l'écrou de la soupape de fonctionnement est obstrué et empêche la vapeur de s'échapper convenablement. Laissez le cuiseur refroidir, nettoyez l'écrou et enclenchez de nouveau l'indicateur de pression.

- **L'indicateur de pression est éjecté hors du couvercle:** l'écrou de la soupape de fonctionnement est obstrué. Refroidissez le cuiseur, nettoyez l'écrou et placez un indicateur de pression neuf.

- **L'autocuiseur cuit à sec:** on peut envisager plusieurs éventualités. Le joint du couvercle ou l'indicateur de pression fuient, auquel cas retournez l'appareil au fabricant. Cela peut également se produire si vous avez fait cuire à feu trop vif pendant trop longtemps ou si vous n'avez pas mis suffisamment de liquide pour le temps de cuisson nécessaire.

TRUCS ET TECHNIQUES

Avec un autocuiseur, les temps de cuisson varient et ils ne vous sont donc donnés qu'à titre indicatif. Par exemple, j'ai fait exprès de ne pas cuire les légumes suffisamment car refaire monter en pression ne prend pas de temps alors que si les légumes sont trop cuits, on n'y peut plus rien.

Veillez à ce que le couvercle soit bien verrouillé avant de faire monter l'autocuiseur en pression. Normalement, le couvercle doit simplement glisser et se verrouiller sur la cuve. De nombreux cuiseurs sont dotés de flèches ou de points qui indiquent où placer le couvercle. Si le couvercle semble difficile à fermer, enduisez son bord intérieur d'un peu d'huile.

Il peut falloir de 30 secondes à 20 minutes pour faire monter le contenu de l'autocuiseur en pression, selon le genre et la quantité d'aliments à cuire. Pour accélérer le processus, servez-vous de liquide bouillant et non froid.

À moins d'indication contraire, le temps de cuisson sous pression se calcule une fois la pression atteinte. C'est à ce moment-là que vous devriez baisser le feu et minuter la cuisson. Si la pression redescend, augmentez un peu le feu. Il est important que la source de chaleur soit baissée une fois que la pression est atteinte, sinon celle-ci continuera de monter et provoquera un bruyant sifflement.

Un diffuseur de chaleur peut être un bon investissement surtout si votre autocuiseur est usagé. Il est pratique aussi pour la cuisson du riz et des légumineuses qui risquent d'attacher.

Il existe deux manières de décompresser: rapidement (méthode utilisée pour la plupart des aliments) et lentement (méthode employée pour les aliments qui risquent de bloquer les orifices, tels que riz, confitures ou entremets au lait).

Lorsque vous pouvez vous servir de l'autocuiseur pour faire des puddings à la vapeur, il faut étuver, ce qui permet à la levure de s'activer. Sans cela, les puddings seront lourds et pâteux.

Consultez les instructions du fabricant relatives à la fonction d'étuvage. N'oubliez pas que ces puddings cuisent à un niveau de pression de 4,5 kg/10 lb; le régulateur de cuisson ne se soulèvera donc pas durant la cuisson.

CONSEILS DE CUISSON POUR
PÂTES, RIZ ET CÉRÉALES

- La cuisson du riz, des pâtes et des céréales peut se faire à même l'autocuiseur ou bien dans le panier ou tout autre récipient résistant. Si vous utilisez le panier perforé, il faut le tapisser de papier d'aluminium.

- Ne remplissez pas le cuiseur plus qu'à la moitié de sa capacité et faites monter en pression sur feu moyen.

- Maintenez le feu un peu plus bas que d'habitude pour éviter que le contenu ne fasse de l'écume et ne bouche les orifices.

- Décompressez lentement.

- Si vous utilisez un récipient, vérifiez s'il loge dans l'autocuiseur. Au besoin, tapissez-le de papier d'aluminium, mettez 225 g/ 8 oz de pâtes ou de riz, mouillez avec 450 ml/3/4 pt de liquide bouillant, couvrez de papier ciré et attachez.

- À moins d'indication contraire, amenez à une pression de 6,8 kg/15 lb et décompressez lentement après la cuisson.

- Pour cuire de l'orge perlé ou des flocons d'avoine, ne remplissez pas le cuiseur plus qu'à la moitié de sa capacité et servez-vous de 900 ml/1 1/2 pt d'eau bouillante par 100 g/4 oz de céréales. Portez à ébullition à feu moyen et cuisez à feu doux.

- Le boulghour et le millet doivent toujours être cuits dans un plat allant au four ou un panier tapissé de papier d'aluminium, et non à même l'autocuiseur. Décompressez lentement.

- Pour cuire du riz au lait, n'utilisez que 600 ml/1 pt de lait pour 50 g/2 oz de riz. Faites bouillir le lait à découvert, ajoutez le riz et remuez jusqu'à ce que l'ébullition reprenne. Réduisez le feu jusqu'à frémissement, fermez le couvercle et amenez à une pression de 6,8 kg/15 lb. Décompressez lentement.

TEMPS DE CUISSON

UTILISEZ TOUJOURS LA QUANTITÉ EXACTE DE LIQUIDE.
CES ALIMENTS REQUIÈRENT UNE DÉCOMPRESSION LENTE.

PÂTES, RIZ ET CÉRÉALES

Variété	Temps de cuisson
100 g/4 oz d'orge perlé	20 minutes
100 g/4 oz de flocons d'avoine	15 minutes
225 g/8 oz de riz à grains longs	2 minutes
225 g/8 oz de riz brun	3 minutes
225 g/8 oz de spaghettini	2 minutes
225 g/8 oz de spaghetti/tagliatelle	3 minutes

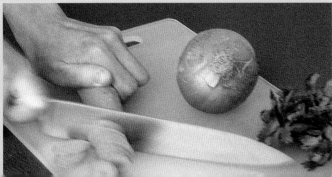

LA CUISSON **DES HARICOTS**

- Tous les haricots secs doivent être trempés dans de l'eau bouillante pendant au moins 1 heure avant d'être cuits. Égouttez les légumes, mettez-les dans l'autocuiseur et ne le remplissez pas au-delà du tiers de sa capacité, légumes et liquide compris.

- Comptez 600 ml/1 pt d'eau froide ou de bouillon pour 225 g/ 8 oz de haricots secs (ce poids est calculé avant le trempage).

- N'ajoutez pas de sel dans l'autocuiseur car cela ferait durcir les haricots. Assaisonnez une fois qu'ils sont cuits.

- Portez à ébullition, écumez puis réduisez le feu pour que le liquide frémisse. Fermez alors le couvercle et faites monter en pression à cette intensité de chaleur.

- Décompressez toujours lentement, une fois le temps de cuisson écoulé, sinon les orifices pourraient se boucher.

- Sauf indication contraire, le niveau de pression utilisé est de 6,8 kg/15 lb.

- Si vous cuisez différentes variétés en même temps, vérifiez qu'elles ont bien toutes le même temps de cuisson.

TEMPS DE CUISSON

UTILISEZ TOUJOURS LA QUANTITÉ EXACTE DE LIQUIDE.
CES ALIMENTS REQUIÈRENT UNE DÉCOMPRESSION LENTE.

HARICOTS, LENTILLES ET POIS

Variété	Temps de cuisson
Doliques à œil noir	10 minutes
Flageolets	5 minutes
Haricots aduki	5 minutes
Haricots blancs (gros)	15 minutes
Haricots blancs (petits)	10 minutes
Haricots blancs fins (cannellini)	10 minutes
Haricots de Lima	15 minutes
Haricots de soja	25 minutes
Haricots mungo	Faire seulement monter en pression
Haricots noirs	10 minutes
Haricots pinto	12 minutes
Haricots romains	10 minutes
Haricots rouges	10 minutes
Lentilles brunes	3 minutes
Lentilles rouges, pas de trempage	Faire seulement monter en pression
Lentilles vertes	3 minutes
Pois carrés	20 minutes
Pois cassés	3 minutes
Pois chiches	20 minutes
Pois entiers	5 minutes

LA CUISSON DES
VIANDES ET VOLAILLES

LES TEMPS DE CUISSON S'APPLIQUENT TOUS À LA CUISSON EN COCOTTE POUR 450 G/1 LB, AVEC UN NIVEAU DE PRESSION DE 6,8 KG/15 LB. FIEZ-VOUS AUX CONSEILS DU FABRICANT.

- Décongelez toujours le porc et la volaille avant de les cuire.

- Pour les ragoûts, n'enrobez pas les ingrédients de farine; faites épaissir la sauce à la fin de la cuisson seulement. Cette règle s'applique à tous les aliments.

- Pour faire cuire de la viande surgelée, découpez-la en morceaux plus petits qu'elle n'était avant la congélation et faites-la dorer dans l'autocuiseur ouvert à feu plus doux que d'habitude afin d'éviter les éclaboussures. Ajoutez 5 minutes de cuisson ou, dans le cas d'un rôti, 10 minutes par 450 g/1 lb.

- On peut réchauffer des ragoûts congelés, à même l'autocuiseur. Ajoutez 300 ml/^{1}/$_2$ pt de liquide au plat congelé. Cuisez de 8 à 10 minutes selon la grosseur des morceaux de viande. Décompressez rapidement puis rectifiez la consistance de la sauce.

- Les rôtis ne doivent pas peser plus de 1,5 kg/3 lb. L'autocuiseur ne doit pas être rempli à plus de la moitié de sa capacité une fois que les légumes et le liquide ont été ajoutés.

- Nettoyez bien l'intérieur des volatiles entiers et bridez les plus petits pour qu'ils soient plus faciles à manipuler. Découpez les grosses volailles en morceaux afin que la vapeur puisse circuler librement.

TEMPS DE CUISSON

À RÔTIR	VIANDE DÉCONGELÉE	VIANDE SURGELÉE
Bœuf		
Gîte à la noix	12 minutes	22 minutes
Poitrine	30 minutes	30 minutes
Extérieur de ronde	15 minutes	25 minutes
Agneau		
Poitrine roulée	15 minutes	25 minutes
Épaule roulée	15 minutes	25 minutes
Collier	12 minutes	22 minutes
Porc		
Épaule roulée	15 minutes	ne pas cuire la viande surgelée
Filet	12 minutes	la viande surgelée
À BOUILLIR		
Bacon/Jambon	8 minutes	ne pas cuire la viande surgelée
Poitrine de bœuf	20 minutes	30 minutes

LA CUISSON DU **POISSON**

- Ôtez arêtes et écailles et, au besoin, nettoyez tout le poisson puis rincez-le bien.

- Cuisez dans au moins 300 ml / ½ pt de liquide. Si vous vous servez de lait, cuisez à feu moyen et utilisez le lait pour faire la sauce d'accompagnement.

- Huilez bien la grille avant d'y déposer le poisson. Vous pouvez d'abord mettre le poisson sur du papier ciré ou d'aluminium pour le manipuler plus facilement.

- Le poisson requiert peu de cuisson. Surveillez bien le temps de cuisson et décompressez rapidement sauf dans le cas où vous cuisez dans du lait, vous laisserez alors la pression se libérer d'elle-même.

- Si le poisson est cuit surgelé, ajoutez 1 minute dans le cas d'un poisson entier ou d'une tranche épaisse et 2 minutes si le temps de cuisson est calculé selon le poids.

- Pour tous les poissons blancs tels que églefin, morue ou flétan:
  cuire les filets de 3 à 4 minutes;
  cuire les tranches de 4 à 5 minutes.

  Cette règle s'applique aussi aux filets de colin, hareng, saumon, truite, maquereau et turbot. Les filets de poissons plus délicats tels que sole et plie prennent 3 minutes. Les poissons entiers prennent de 5 à 7 minutes, selon leur grosseur.

LA CUISSON DES **PUDDINGS À LA VAPEUR, DESSERTS ET CONSERVES**

L'autocuiseur est pratique pour cuire toutes sortes de puddings à la vapeur, de desserts et de conserves. Pour obtenir un bon résultat, il faut cependant suivre certaines règles.

- Les récipients utilisés doivent résister à de fortes températures et ne pas être remplis au-delà des deux tiers de leur capacité.

- Huilez bien le récipient et placez un rond de papier ciré dans le fond. Recouvrez d'une double épaisseur de papier ciré en faisant un pli au centre ou bien d'une épaisseur de papier d'aluminium et attachez solidement.

- Versez 900 ml/1 ½ pt d'eau bouillante dans l'autocuiseur ainsi que 2 cuillerées à table de jus de citron pour éviter la décoloration.

- Dans le cas des puddings, il faut toujours étuver pour activer la levure. Vérifiez chaque recette ainsi que le guide d'utilisation du fabricant.

- Décompressez lentement pour éviter que le pudding ne s'affaisse.

- Les entremets au lait peuvent se cuire à l'autocuiseur; veillez cependant à ce que le feu ne soit pas trop fort car ils risquent de brûler.

- Les conserves sont cuites beaucoup plus rapidement qu'avec la cuisson ordinaire. On fait ramollir les fruits par la pression puis, après avoir ajouté le sucre, on cuit à découvert. Consultez les temps de cuisson recommandés par le fabricant. Que les conserves soient préparées à l'autocuiseur ou de manière conventionnelle, les conseils de base restent les mêmes.

LA CUISSON DES **LÉGUMES**

À l'autocuiseur, les légumes requièrent un temps de cuisson extrêmement bref, surtout si vous les préférez pas trop cuits. Certains comme les asperges, les haricots verts et le chou sont meilleurs cuits à la vapeur ou dans une marmite ordinaire.

- Si vous cuisez malgré tout des haricots verts à l'autocuiseur, ajoutez-les à de l'eau bouillante, amenez à une pression de 6,8 kg/15 lb et décompressez rapidement.

- Économisez temps et énergie en cuisant plusieurs légumes ensemble. Coupez-les en morceaux de la même grosseur et servez-vous du séparateur si vous en avez un.

- Vous pouvez cuire des légumes racines sur la grille en utilisant 300 ml/½ pt d'eau, portez à ébullition puis mettez des légumes verts dans le panier, posez celui-ci par-dessus la grille, fermez le couvercle et faites monter en pression. Décompressez rapidement.

- La durée de cuisson des légumes est une question de goût. Selon les données du tableau ci-contre, les légumes restent plutôt croquants. Si vous préférez des légumes plus cuits, augmentez un peu le temps de cuisson. Les légumes racines doivent toujours être bien cuits.

TEMPS DE CUISSON

UTILISEZ TOUJOURS LA QUANTITÉ EXACTE DE LIQUIDE.

CES ALIMENTS REQUIÈRENT UNE DÉCOMPRESSION RAPIDE.

Variété	Temps de cuisson
Artichauts	6 à 8 minutes selon la grosseur
Asperges attachées en petites bottes	2 à 4 minutes selon la maturité
Aubergines	2 à 4 minutes selon la grosseur
Betterave	Ne pas peler et laisser un peu de racine et de tige. Bien rincer et cuire 2 à 4 minutes
Brocoli	1 à 2 minutes
Carottes	3 à 4 minutes
Céleri coupé en petits tronçons	2 minutes
Chou en lanières	Faire seulement monter en pression
Chou rouge	3 minutes
Chou-fleur défait en bouquets	1 à 2 minutes
Courges d'hiver	6 à 10 minutes selon la variété et la quantité
Courgettes coupées en tranches épaisses	Faire seulement monter en pression
Épinards	Faire seulement monter en pression avec un peu d'eau
Épis de maïs	6 à 10 minutes selon la grosseur
Fenouil	2 à 4 minutes selon qu'il est coupé en deux ou tranché
Gombos	2 à 3 minutes
Gourganes (fèves des marais)	1 à 3 minutes selon la maturité
Haricots verts ou beurre	1 à 3 minutes selon la maturité
Navets	3 à 4 minutes
Oignons entiers	3 à 4 minutes
Panais coupés en deux ou en rondelles	3 à 4 minutes
Patates douces coupées en rondelles	4 à 5 minutes
Poireaux coupés en rondelles	2 à 3 minutes
Pommes de terre coupées en morceaux	4 minutes
Pommes de terre nouvelles entières	4 minutes
Rutabagas et ignames	6 minutes
Topinambours	4 à 5 minutes

COMMENT ADAPTER D'AUTRES RECETTES

Une fois que vous vous serez familiarisé avec la cuisson à l'autocuiseur, il vous sera très facile d'adapter vos recettes personnelles. Consultez d'abord le livre de recettes du fabricant afin de connaître le temps de cuisson et la méthode de décompression conseillés pour une recette similaire. En règle générale, le temps de cuisson à l'autocuiseur est d'environ deux tiers inférieur au temps de cuisson ordinaire.

Employez des liquides qui produisent de la vapeur, par exemple bouillon, vin ou lait. N'utilisez jamais de beurre fondu ni d'huile sauf pour faire dorer les aliments avant de les faire cuire et encore là, n'en utilisez que le strict minimum.

Il faut se rappeler que le temps de cuisson est fonction de la taille de l'aliment et non de sa quantité. Seule la cuisson des rôtis est calculée selon le poids.

Utilisez un feu moyen pour le riz, les pâtes, les céréales, les légumineuses, la betterave, le lait et tout autre aliment qui va faire de l'écume durant la cuisson.

Pour les ragoûts, faites d'abord dorer la viande dans l'autocuiseur ouvert puis essuyez celui-ci afin que les aliments ne brûlent pas lorsqu'ils seront sous pression.

Certains aliments comme les sauces et les soupes commerciales risquent d'attacher au fond du cuiseur; il faut leur ajouter 150 ml/$^1/_4$ pt de liquide.

Ne faites jamais épaissir ragoûts, soupes ou sauces avant de faire monter en pression, toujours après. Vous pouvez le faire au moyen de fécule de maïs, de beurre manié (une pâte faite de farine et de beurre) ou de légumes pilés, de la purée de pommes de terre par exemple.

BOUILLONS ET SOUPES

SOUPE MEXICAINE
AUX HARICOTS PINTO

AVANT DE LES FAIRE CUIRE, IL FAUT COUVRIR LES HARICOTS SECS D'EAU BOUILLANTE ET LES LAISSER TREMPER DURANT 1 HEURE. LA CUISSON À L'AUTOCUISEUR PERMET DE DÉTRUIRE TOUTES LES TOXINES.

Placer les haricots dans un grand bol, recouvrir d'eau bouillante et laisser tremper pendant au moins 1 heure. Égoutter, mettre dans l'autocuiseur et ajouter 600 ml/1 pt d'eau. Porter à ébullition et écumer. Réduire le feu jusqu'à obtenir une faible ébullition, fermer le couvercle et amener à une pression de 6,8 kg/15 lb.

Cuire 8 minutes puis décompresser lentement. Enlever le couvercle, retirer les haricots et réserver. Rincer et essuyer la marmite.

Dans le cuiseur, chauffer l'huile et faire revenir le chili, l'ail et l'oignon, 5 minutes.

Ajouter les tomates et leur jus, le bouillon, l'origan, le zeste et le jus de citron vert, les haricots, le sel et le poivre. Porter rapidement à ébullition et fermer le couvercle. Amener à une pression de 6,8 kg/15 lb et cuire 4 minutes.

Décompresser lentement, incorporer la coriandre hachée et rectifier l'assaisonnement. Mélanger ensemble les tomates et l'avocat coupés en petits morceaux. Servir la soupe dans des bols individuels, ajouter une cuillerée de crème sure et garnir d'une grosse cuillerée du mélange de tomates et d'avocat.

6 *personnes*
Niveau de pression: **6,8 kg/15 lb**
Préparation: **15 minutes, plus**
  1 heure de trempage
Cuisson à découvert: **8 minutes**
Cuisson sous pression: **12 minutes**

225 g/8 oz de haricots pinto secs
600 ml/1 pt d'eau
1 c. à table d'huile d'olive
1 chili rouge, épépiné et haché
4 gousses d'ail pelées et
  hachées
1 oignon pelé et haché
400 g/14 oz de tomates
  broyées en conserve

600 ml/1 pt de bouillon de
  légumes ou de poulet
1 c. à table d'origan frais haché
Sel et poivre noir du moulin
Zeste râpé et jus d'1 citron vert
2 c. à soupe de coriandre
  fraîche hachée

GARNITURE
2 tomates mûres, pelées,
  épépinées et hachées
1 petit avocat mûr, pelé,
  dénoyauté et coupé en
  petits dés
6 c. à table de crème sure

POTAGE FROID AU CRESSON

UN SOUPÇON DE PIMENT DONNE À CETTE SOUPE CLASSIQUE UN PETIT GOÛT PIQUANT ORIGINAL.

Enlever les tiges dures du cresson, le laver. Garder quelques brins pour la garniture et hacher le reste.

Dans l'autocuiseur, fondre le beurre et faire revenir l'oignon, l'ail, les pommes de terre et le chili broyé, 5 minutes. Verser la farine en pluie et cuire en remuant 1 minute.

Ajouter le bouillon, le cresson haché, le sel et le poivre. Fermer le couvercle, amener à une pression de 6,8 kg/15 lb et cuire 4 minutes.

Décompresser rapidement et rectifier l'assaisonnement. Laisser refroidir un peu et passer au robot culinaire ou au mélangeur. Laisser refroidir complètement puis incorporer la crème sure. Mettre au frais et servir le potage décoré de brins de cresson.

6 *personnes*
Niveau de pression: **6,8 kg/15 lb**
Préparation: **5 minutes plus le temps de la réfrigération**
Cuisson à découvert: **4 minutes**
Cuisson sous pression: **4 minutes**

225 g/8 oz de cresson
2 c. à soupe de beurre non salé
1 oignon pelé et haché
1 à 2 gousses d'ail pelées et écrasées

225 g/8 oz de pommes de terre pelées et coupées en dés
1/2 c. à thé de chili séché broyé
2 c. à table de farine blanche
900 ml/1 1/2 pt de bouillon de légumes ou de poulet
Sel et poivre noir du moulin
150 ml/1/4 pt de crème sure

CRÈME DE CHAMPIGNONS SAUVAGES

CETTE RECETTE PEUT SE FAIRE AVEC N'IMPORTE QUELS CHAMPIGNONS DES BOIS SÉCHÉS.
POUR UNE SAVEUR OPTIMALE, ON UTILISE L'EAU DE TREMPAGE.

Recouvrir les champignons séchés d'eau presque bouillante et les laisser tremper pendant au moins 20 minutes. Égoutter en récupérant l'eau de trempage et laisser en attente.

Dans l'autocuiseur, chauffer l'huile et faire sauter les oignons, l'ail, le piment, la pomme de terre et le panais, 3 minutes, en remuant souvent. Couper les champignons frais s'ils sont gros, les mettre dans le cuiseur et faire sauter 1 minute. Ajouter le bouillon, les champignons réhydratés ainsi que leur eau de trempage et amener à ébullition.

Réduire le feu, fermer le couvercle et amener à une pression de 6,8 kg/15 lb. Cuire 3 minutes puis décompresser rapidement et passer en plusieurs fois dans un mélangeur.

Saler et poivrer. Faire réchauffer à feu doux dans le cuiseur nettoyé et servir le potage garni de crème 35 % ou de crème sure et de ciboulette et accompagné de pain croustillant tout chaud.

6 *personnes*
Niveau de pression: **6,8 kg/15 lb**
Préparation: **10 minutes, plus 20 minutes de trempage**
Cuisson à découvert: **5 minutes**
Cuisson sous pression: **3 minutes**

10 g/$1/4$ oz de champignons séchés
1 c. à table d'huile
2 oignons moyens, pelés et hachés
3 à 5 gousses d'ail pelées et hachées
1 piment jalapeño rouge, épépiné et haché menu
1 pomme de terre, d'environ 225 g/8 oz, pelée et hachée
1 panais moyen, d'environ 175 g/6 oz, pelé et haché
350 g/12 oz de champignons frais assortis tels que girolles, pleurotes, morilles, champignons café et petits champignons blancs, brossés ou essuyés
900 ml/1 $1/2$ pt de bouillon de légumes
Sel et poivre noir du moulin

GARNITURE
4 c. à table de crème 35 % ou de crème sure et 2 c. à table de ciboulette fraîche, ciselée

ACCOMPAGNEMENT
Pain croustillant

CHAUDRÉE DE CREVETTES

LES CHAUDRÉES SE PRÉPARENT AVEC UNE GRANDE VARIÉTÉ D'INGRÉDIENTS.
CETTE RECETTE, À BASE DE GROSSES CREVETTES, EST PARFAITE LORSQU'ON REÇOIT DES INVITÉS.

8 *personnes*
Niveau de pression: **6,8 kg/15 lb**
Préparation: **10 minutes**
Cuisson à découvert: **10 minutes**
Cuisson sous pression: **3 minutes**

225 g/8 oz de crevettes géantes crues
2 c. à table de beurre non salé
225 g/8 oz de lard de dos non fumé, haché
1 oignon pelé et haché
2 branches de céleri hachées
225 g/8 oz de pommes de terre pelées et
    coupées en dés
1 feuille de laurier
900 ml/1 1/2 pt de bouillon de poisson ou
    de légumes
3 c. à table de fécule de maïs
150 ml/1/4 pt de lait
100 g/4 oz de grosses crevettes décortiquées,
    décongelées au besoin
100 g/4 oz de maïs en grains, décongelé au besoin
Sel et poivre noir du moulin
2 à 3 c. à table de crème 35%
2 c. à table de persil frais haché

ACCOMPAGNEMENT
Pains aux grains entiers

Ôter les têtes des crevettes, les décortiquer puis
réserver. Dans l'autocuiseur, fondre le beurre et
faire sauter le lard, l'oignon et le céleri, 5 minutes.
Ajouter les pommes de terre et faire sauter
3 minutes de plus. Ajouter le laurier, le bouillon et
les crevettes.

Fermer le couvercle, amener à une pression de
6,8 kg/15 lb et cuire 3 minutes.

Décompresser rapidement, brasser et ôter la feuille
de laurier. Délayer la fécule de maïs dans le lait et
incorporer à la marmite. Cuire en remuant à feu
doux jusqu'à ce que la soupe arrive à ébullition.
Ajouter les autres ingrédients ainsi que le sel et le
poivre. Laisser mijoter 2 minutes puis servir
accompagné de pain aux grains entiers.

CRÈME DE CAROTTES
ET DE LENTILLES

COMME VARIANTE, ON PEUT REMPLACER 300 ML/1/2 PT DE
BOUILLON PAR DU JUS D'ORANGE ET AJOUTER 2 CUILLERÉES À
TABLE DE ZESTE D'ORANGE RÂPÉ AVANT DE FAIRE MONTER EN
PRESSION. GARNIR AVEC D'AUTRE ZESTE D'ORANGE.

4 *personnes*
Niveau de pression: **6,8 kg/15 lb**
Préparation: **10 minutes**
Cuisson à découvert: **5 minutes**
Cuisson sous pression: **5 minutes**

1 c. à table d'huile
1 oignon moyen, pelé et haché
4 gousses d'ail pelées et hachées
450 g/1 lb de carottes pelées et
    hachées
75 g/3 oz de lentilles rouges cassées
1 c. à thé de cumin en poudre
1 c. à thé de coriandre en poudre
1 feuille de laurier
900 ml/1 1/2 pt de bouillon de
    légumes, presque à ébullition
Sel et poivre noir du moulin
2 c. à table de coriandre fraîche hachée

GARNITURE
4 c. à table de yogourt nature faible en
    gras ou de crème 15%

ACCOMPAGNEMENT
Pain croustillant ou croûtons

Dans l'autocuiseur, chauffer l'huile et faire revenir l'oignon, l'ail et les carottes,
3 minutes. Ajouter les lentilles, les épices et la feuille de laurier et cuire 1 minute.

Verser le bouillon chaud et porter à ébullition. Fermer le couvercle, amener à une
pression de 6,8 kg/15 lb et cuire 5 minutes. Décompresser lentement et retirer la
feuille de laurier.

Laisser refroidir un peu puis passer au mélangeur. Saler et poivrer, ajouter la
coriandre hachée et faire réchauffer à feu doux.

Servir dans des bols et garnir d'une cuillerée de yogourt ou de crème. On peut
également mélanger le yogourt ou la crème à la soupe. Servir avec du pain
croustillant ou des croûtons.

BOUILLON DE POISSON

LORSQU'ON PRÉPARE SOI-MÊME UN BOUILLON, IL FAUT ABSOLUMENT EMPLOYER DES INGRÉDIENTS D'UNE EXTRÊME FRAÎCHEUR, SINON LE RÉSULTAT EN SERA ALTÉRÉ.

Environ **600 ml/1 pt**
Niveau de pression: **6,8 kg/15 lb**
Préparation: **4 minutes**
Cuisson à découvert: **3 minutes**
Cuisson sous pression: **10 minutes**

1 tête de morue fraîche ou des arêtes et des rognures de poisson

1 branche de céleri
2 feuilles de laurier
Quelques brins de persil frais
Quelques brins de thym frais
1 oignon pelé et tranché
1 petite carotte pelée et coupée en rondelles
10 grains de poivre
Sel

Rincer la tête de morue ou les arêtes et les rognures de poisson et les mettre dans l'autocuiseur. Couper la branche de céleri en deux. Déposer les feuilles de laurier, le persil et le thym sur une moitié de céleri et placer la deuxième moitié par-dessus. Attacher le tout solidement et mettre dans la marmite. Ajouter l'oignon, la carotte et les grains de poivre et verser 1,2 litre/2 pintes d'eau froide.

Porter à ébullition, à découvert. Écumer et saler.

Fermer le couvercle et amener à une pression de 6,8 kg/15 lb. Cuire 10 minutes puis décompresser lentement.

Filtrer, rectifier l'assaisonnement et laisser refroidir. Utiliser le jour même.

On peut aussi congeler le bouillon une fois refroidi. Employer alors moitié moins d'eau et en rajouter une fois qu'il a décongelé. Utiliser dans les 3 mois.

BOUILLON DE BŒUF

IL EST INTÉRESSANT DE CONGELER UNE PARTIE DE CE BOUILLON. POUR CELA, LE VERSER DANS DES PETITS POTS OU DES BACS À GLAÇONS ET METTRE AU CONGÉLATEUR À DÉCOUVERT. UNE FOIS LE BOUILLON BIEN PRIS, LE PLACER DANS DES SACS À CONGÉLATION ÉPAIS QU'ON PRENDRA SOIN D'ÉTIQUETER.

Environ **600 ml/1 pt**
Niveau de pression: **6,8 kg/15 lb**
Préparation: **4 minutes**
Cuisson à découvert: **3 minutes**
Cuisson sous pression: **15 minutes**

900 g/2 lb d'os, provenant de viande fraîche ou cuite
2 oignons pelés et hachés
2 carottes pelées et hachées
$1/2$ petit bulbe de fenouil haché ou 2 branches de céleri hachées
10 grains de poivre
1 bouquet garni
Sel

Rincer les os et les couper en morceaux de 7,5 cm/3 po de long. Les mettre dans l'autocuiseur avec 1,2 litre/2 pintes d'eau. Porter à ébullition puis écumer.

Ajouter les légumes hachés ainsi que les grains de poivre et le bouquet garni. Faire reprendre l'ébullition, saler et fermer le couvercle.

Amener à une pression de 6,8 kg/15 lb et cuire 15 minutes. Décompresser lentement puis filtrer et dégraisser. Laisser refroidir avant l'emploi.

Une fois refroidi, couvrir et conserver au réfrigérateur jusqu'à 3 jours. Faire bouillir à feu vif avant l'emploi.

Si on utilise des os crus, on peut d'abord les faire dorer dans le cuiseur avec un peu d'huile. Essuyer la marmite avant d'ajouter les autres ingrédients.

BOUILLON DE POULET

N'IMPORTE QUELLE CARCASSE DE VOLAILLE PEUT SERVIR POUR FAIRE DU BOUILLON. NE PAS EMPLOYER TOUTEFOIS DIFFÉRENTS VOLATILES EN MÊME TEMPS. DÉCOUPER LA CARCASSE EN PETITS MORCEAUX POUR QU'ILS LOGENT TOUS DANS LE FOND DE L'AUTOCUISEUR.

Découper la carcasse en plusieurs morceaux et les mettre dans le cuiseur en même temps que de la peau ou des morceaux de chair de poulet qui restent. Ajouter l'oignon, la carotte, le céleri, les feuilles de laurier, le persil, les clous de girofle et les grains de poivre puis 1,2 litre/2 pintes d'eau froide. Porter à ébullition, écumer et saler.

Fermer le couvercle, amener à une pression de 6,8 kg/15 lb et cuire 10 minutes.

Décompresser lentement, filtrer, dégraisser et rectifier l'assaisonnement. Laisser refroidir avant l'emploi. Si on n'utilise pas le bouillon le jour même, il faut le garder au réfrigérateur jusqu'à 3 jours. Faire bouillir à feu vif avant l'emploi. Si on veut congeler le bouillon, faire la recette avec moitié moins d'eau et en rajouter une fois qu'il a décongelé.

Environ **600 ml/1 pt**
Niveau de pression: **6,8 kg/15 lb**
Préparation: **5 minutes**
Cuisson à découvert: **3 minutes**
Cuisson sous pression: **10 minutes**

1 carcasse de poulet cuit
1 oignon moyen, pelé et tranché
1 carotte moyenne, pelée et coupée en rondelles
2 branches de céleri tranchées
2 feuilles de laurier
Quelques brins de persil frais
2 clous de girofle
Quelques grains de poivre blanc
Sel

SOUPE AU PISTOU

LE PISTOU (OU PESTO) A GAGNÉ EN POPULARITÉ CES DERNIÈRES ANNÉES ET IL RETROUVE ICI L'UN DE SES USAGES
CLASSIQUES. ON PEUT PARSEMER LA SOUPE DE QUELQUES PIGNONS GRILLÉS.

Nettoyer les poireaux, les émincer et bien les rincer. Dans l'autocuiseur, chauffer le beurre et
faire revenir les poireaux, l'ail et le fenouil, 5 minutes.

Ajouter les autres légumes ainsi que le zeste de citron, 2 cuillerées à table de basilic, le bouillon,
le sel et le poivre. Fermer le couvercle et amener rapidement à une pression de 6,8 kg/15 lb.
Cuire 6 minutes puis décompresser rapidement.

Prélever quelques légumes cuits et passer le reste au robot ou au mélangeur. Rajouter les
légumes réservés et le reste de basilic. Réchauffer à petit feu et saupoudrer de parmesan.

6 *personnes*
Niveau de pression: **6,8 kg/15 lb**
Préparation: **10 minutes**
Cuisson à découvert: **5 minutes**
Cuisson sous pression: **6 minutes**

3 poireaux (environ 350 g/12 oz)
2 c. à table de beurre non salé
3 gousses d'ail pelées et écrasées
1 bulbe de fenouil haché
2 courgettes coupées en demi-rondelles
100 g/4 oz de haricots verts hachés
**3 tomates moyennes, épépinées et
  hachées**
1 c. à table de zeste de citron râpé
3 c. à table de basilic frais haché
**900 ml/1 ¹/₂ pt de bouillon de légumes
  ou de poulet**
Sel et poivre noir du moulin

GARNITURE
Parmesan râpé

GASPACHO AUX HARICOTS SECS

CE POTAGE SE SERT ÉGALEMENT CHAUD. APRÈS L'AVOIR PASSÉ, LE RÉCHAUFFER À PETIT FEU JUSQU'À CE QU'IL SOIT FUMANT. Y INCORPORER ALORS LE POIVRON VERT, LES TOMATES ET LE CONCOMBRE HACHÉS, LE VINAIGRE, LE PERSIL ET L'ASSAISONNEMENT. FAIRE CHAUFFER BRIÈVEMENT ET SERVIR.

6 *personnes*
Niveau de pression: **6,8 kg/15 lb**
Préparation: **10 minutes, plus**
   1 heure de trempage
Cuisson sous pression: **10 minutes**

225 g/8 oz de haricots blancs fins secs (cannellini)
1 l/1 3/4 pt de bouillon de légumes
4 à 6 gousses d'ail pelées
1 petit oignon pelé et haché
1 piment serrano épépiné et haché

4 tomates mûres mais encore fermes, épépinées et hachées menu
1 morceau de concombre de 5 cm/2 po, pelé, épépiné et haché menu
1 petit poivron vert, épépiné et haché menu
2 c. à table de vinaigre de xérès
Sel et poivre du moulin
2 c. à table de persil plat frais haché

ACCOMPAGNEMENT
Croûtons

Mettre les haricots secs dans un bol, recouvrir d'eau bouillante et laisser tremper pendant 1 heure. Égoutter et placer dans le cuiseur avec le bouillon, l'ail, l'oignon et le piment. Porter à ébullition, fermer le couvercle et amener à une pression de 6,8 kg/15 lb. Cuire 10 minutes puis décompresser lentement.

Une fois refroidi, passer le potage au mélangeur si désiré et mettre au frais.

Au moment de servir, incorporer les tomates, le concombre et le poivron hachés, le vinaigre, l'assaisonnement et le persil haché. Accompagner de croûtons.

BORTSCH

LE BORTSCH SE DISTINGUE PAR SA COULEUR ROUGE FONCÉ. EN LUI AJOUTANT DE LA CRÈME ET DE LA CIBOULETTE, CE POTAGE DEVIENT UN RÉGAL AUTANT POUR LES YEUX QUE POUR LES PAPILLES.

4 à 6 *personnes*
Niveau de pression: **6,8 kg/15 lb**
Préparation: **10 minutes**
Cuisson à découvert: **3 minutes**
Cuisson sous pression: **8 minutes**

675 g/1 1/2 lb de betteraves crues, pelées
2 oignons moyens, pelés et hachés
2 gousses d'ail pelées et hachées
900 ml/1 1/2 pt de bouillon de légumes ou de bœuf

300 ml/1/2 pt de jus d'orange
5 à 6 c. à table de xérès sec
Sel et poivre noir du moulin

GARNITURE
crème 15 % ou crème sure, et ciboulette fraîche

ACCOMPAGNEMENT
Fines tranches de pain de blé entier et beurre ou baguette chaude

Râper les betteraves ou les couper en dés et les mettre dans le cuiseur avec les oignons, l'ail, le bouillon et 150 ml/1/4 pt de jus d'orange. Porter à faible ébullition, fermer le couvercle, amener à une pression de 6,8 kg/15 lb et cuire 8 minutes.

Décompresser rapidement, passer au tamis et ajouter le reste de jus d'orange, le xérès, le sel et le poivre.

Mettre au frais ou réchauffer à feu doux et servir dans des bols individuels. Garnir d'une cuillerée de crème 15 % ou de crème sure et de deux brins de ciboulette. Accompagner de fines tranches de pain de blé entier et de beurre si le bortsch est servi froid ou de morceaux de baguette chaude si la soupe est servie chaude.

SOUPE DE TOMATES ET DE POIS CHICHES

LORSQUE LE TEMPS COMMENCE À RAFRAÎCHIR, UNE SOUPE EST TOUJOURS LA BIENVENUE. UNE POINTE DE PIMENT FORT RÉCHAUFFERA LES PLUS FRILEUX.

Mettre les pois chiches dans un bol, recouvrir d'eau bouillante et laisser tremper pendant 1 heure. Égoutter et mettre dans l'autocuiseur avec 600 ml/1 pt d'eau. Porter à ébullition et écumer. Réduire le feu jusqu'à faible ébullition, fermer le couvercle et amener à une pression de 6,8 kg/15 lb.

Cuire 15 minutes puis décompresser lentement. Égoutter les pois chiches et laisser en attente.

Rincer et essuyer l'autocuiseur.

Chauffer l'huile dans le cuiseur et faire sauter l'oignon, le piment, l'ail, le poivron rouge et le fenouil, 3 minutes.

Ajouter les tomates hachées ainsi que l'origan et les pois chiches.

Délayer la pâte de tomate dans le bouillon et le vinaigre et verser le mélange dans la marmite. Faire reprendre l'ébullition, fermer le couvercle et amener à une pression de 6,8 kg/15 lb. Cuire 5 minutes puis décompresser rapidement, saler, poivrer et ajouter le basilic.

6 *personnes*
Niveau de pression: **6,8 kg/15 lb**
Préparation: **10 minutes, plus 1 heure**
   de trempage
Cuisson à découvert: **3 minutes**
Cuisson sous pression: **20 minutes**

175 g/6 oz de pois chiches secs
1 c. à table d'huile
1 oignon moyen, pelé et haché
1 piment jalapeño épépiné et haché
3 gousses d'ail pelées et hachées
1 petit poivron rouge, épépiné et haché
1/2 bulbe de fenouil haché
350 g/12 oz de tomates mûres hachées
1 c. à table d'origan frais haché
2 c. à table de pâte de tomate
600 ml/1 pt de bouillon de légumes
1 c. à table de vinaigre de vin rouge
Sel et poivre noir du moulin
2 c. à table de basilic coupé en lanières

VELOUTÉ DE POIVRON ROUGE GRILLÉ

ON PEUT GRILLER LES POIVRONS EN LES PLAÇANT DANS LE FOUR OU SOUS LE GRIL PRÉCHAUFFÉ.
LE PROCESSUS EST PLUS LONG DANS LE FOUR MAIS LE GOÛT BIEN MEILLEUR. LA MÉTHODE SOUS LE GRIL
OU DANS L'AUTOCUISEUR EST BEAUCOUP PLUS RAPIDE.

Dans l'autocuiseur, chauffer 2 cuillerées à thé d'huile, ajouter les poivrons et faire sauter
8 minutes ou jusqu'à ce que la peau commence à noircir. Retirer de la marmite à l'aide
d'une écumoire, hacher et réserver. Essuyer la marmite.

Ajouter le reste d'huile, l'ail et l'oignon et faire revenir pendant 3 minutes. Remettre les poivrons
ainsi que les tomates, le safran, les lanières de basilic et le bouillon. Saler, poivrer et porter à
ébullition. Fermer le couvercle et amener rapidement à une pression de 6,8 kg/15 lb. Cuire
6 minutes puis décompresser rapidement.

Passer la soupe au mélangeur puis filtrer à travers une passoire fine et rectifier
l'assaisonnement. Si le velouté est servi chaud, le remettre dans le cuiseur propre et réchauffer à
petit feu. S'il est servi froid, mettre au frais jusqu'à l'emploi. Garnir de volutes de crème 15 % ou
de crème 35 %, de croûtons et de lanières de basilic.

6 *personnes*
Niveau de pression: **6,8 kg/15 lb**
Préparation: **10 minutes**
Cuisson à découvert: **11 minutes**
Cuisson sous pression: **6 minutes**

2 c. à table d'huile d'olive
**3 poivrons rouges, épépinés et coupés
 en quatre**
3 gousses d'ail pelées et écrasées
1 oignon pelé et haché
**450 g/1 lb de grosses tomates mûres,
 hachées**
Quelques filaments de safran
**1 c. à table de basilic découpé en
 lanières**
**900 ml/1 ½ pt de bouillon de légumes
 ou de poulet**
Sel et poivre noir du moulin
**4 c. à table de crème 35 % ou
 de crème 15 %**

GARNITURE
1 c. à table de lanières de basilic
Croûtons à l'ail

VICHYSSOISE AUX POMMES DE TERRE ET ÉPINARDS

CE POTAGE EST AUSSI DÉLICIEUX CHAUD QUE FROID. SI ON LE SERT FROID, IL FAUT LE FAIRE REFROIDIR LE PLUS VITE POSSIBLE ET LE GARDER AU RÉFRIGÉRATEUR AU MINIMUM 4 HEURES.

4 à 6 *personnes*
Niveau de pression: **6,8 kg/15 lb**
Préparation: **7 minutes**
Cuisson à découvert: **5 minutes**
Cuisson sous pression: **6 minutes**

1 c. à table d'huile
1 oignon moyen, pelé et haché
3 gousses d'ail pelées et hachées
300 g/10 oz de pommes de terre pelées et coupées en dés
1 gros poireau, d'environ 225 g/8 oz, tranché

900 ml/1 $^1/_2$ pt de bouillon de légumes
2 c. à table de zeste de citron râpé
3 brins d'aneth frais
225 g/8 oz d'épinards frais
Sel et poivre noir du moulin
150 ml/$^1/_4$ pt de crème 35 % ou de lait entier

GARNITURE
2 c. à table d'aneth frais ciselé

Dans l'autocuiseur, chauffer l'huile et faire sauter l'oignon, l'ail, les pommes de terre et le poireau 3 minutes. Ajouter le bouillon, le zeste de citron et les brins d'aneth et porter à faible ébullition.

Fermer le couvercle et amener à une pression de 6,8 kg/15 lb. Cuire 5 minutes puis décompresser rapidement.

Entre-temps, nettoyer les épinards, les rincer abondamment et les hacher. Ouvrir le cuiseur et mettre les épinards. Fermer le couvercle et ramener à la même pression. Cuire 1 minute puis décompresser rapidement.

Passer au mélangeur, rectifier l'assaisonnement et incorporer la crème ou le lait. Réchauffer à feu doux dans le cuiseur propre, à découvert, 2 minutes ou jusqu'à ébullition, et servir parsemé d'aneth ciselé.

BOUILLON DE LÉGUMES

POUR FAIRE UN BOUILLON DE LÉGUMES, NE PAS UTILISER D'ALIMENTS FARINEUX NI DE LÉGUMES VERTS CAR ILS RENDRAIENT LE LIQUIDE TROUBLE. SI L'ON VEUT UN BOUILLON PLUS FONCÉ, ON PEUT GARDER LA PEAU DES OIGNONS. LES BOUILLONS MAISON SONT TOUJOURS MEILLEURS FRAIS; CONGELÉS, ILS PERDENT UN PEU DE LEUR SAVEUR.

Environ **600 ml/1 pt**
Niveau de pression: **6,8 kg/15 lb**
Préparation: **5 minutes**
Cuisson à découvert: **3 minutes**
Cuisson sous pression: **10 minutes**

2 oignons pelés et hachés
2 gousses d'ail pelées et hachées

1 grosse carotte pelée et hachée
2 branches de céleri hachées
1 petit navet pelé et haché
2 feuilles de laurier
1 bouquet garni
5 grains de poivre
Sel

Mettre les légumes hachés dans l'autocuiseur avec les feuilles de laurier, le bouquet garni et les grains de poivre. Ajouter 1,2 litre/ 2 pintes d'eau froide et porter à ébullition. Écumer et saler.

Fermer le couvercle et amener à une pression de 6,8 kg/15 lb. Cuire 10 minutes puis décompresser rapidement.

Filtrer le bouillon et le laisser refroidir avant de s'en servir. Conserver au réfrigérateur jusqu'à 3 jours. Faire bouillir à feu vif avant l'emploi.

Si on fait congeler le bouillon, le préparer avec moitié moins d'eau. Garder congelé jusqu'à 3 mois. Une fois décongelé, ajouter le reste d'eau.

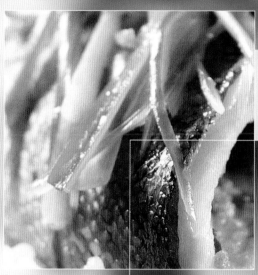

POISSONS

SAUMON SAUCE AUX CHAMPIGNONS

LES DARNES DE SAUMON FRAÎCHES SONT AUSSI AGRÉABLES À APPRÊTER QU'À DÉGUSTER.

Dans l'autocuiseur, fondre 2 cuillerées à table de beurre et faire revenir les échalotes à feu doux, 3 minutes. Ajouter les champignons, continuer à faire revenir pendant 2 minutes puis mouiller avec le vin.

Badigeonner la grille avec le beurre fondu, la placer dans le cuiseur. Poser les darnes sur un morceau de papier ciré puis sur la grille.

Attacher les pointes d'asperges en petites bottes. Couvrir le saumon de papier ciré et déposer les asperges par-dessus. Fermer le couvercle et amener à une pression de 6,8 kg/15 lb. Cuire 3 minutes.

Décompresser rapidement puis retirer les asperges et le saumon et les garder au chaud. Délayer la fécule de maïs dans la crème et incorporer au jus de cuisson.

Cuire en remuant jusqu'à ce que la sauce épaississe. Saler et poivrer. Napper le saumon et garnir de morceaux d'oignons verts et d'aneth ciselé.

4 personnes
Niveau de pression: **6,8 kg/15 lb**
Préparation: **10 minutes**
Cuisson à découvert: **5 minutes**
Cuisson sous pression: **3 minutes**

2 c. à table de beurre non salé
  plus 1 c. à thé de beurre fondu
4 échalotes pelées et coupées en
  quartiers minces
75 g/3 oz de petits champignons
  blancs, essuyés et tranchés
75 g/3 oz de pleurotes brossés
  et tranchés s'ils sont gros

300 ml/$^1/_2$ pt de vin blanc sec
4 darnes de saumon de 150 g/
  5 oz, épongées
225 g/8 oz de pointes de petites
  asperges rincées
1 c. à thé de fécule de maïs
3 c. à table de crème 35%
Sel et poivre noir du moulin

GARNITURE
4 oignons verts tranchés en
  biais
2 c. à table d'aneth frais ciselé

SOLE FARCIE AUX ÉPINARDS
ET AUX PIGNONS

DANS CETTE RECETTE, ON PEUT REMPLACER LA SOLE PAR DU FLET.

Dans l'autocuiseur, chauffer l'huile et faire sauter les échalotes 3 minutes. Réserver dans un bol et essuyer la marmite. Joindre aux échalotes les autres ingrédients de la farce, saler, poivrer et malaxer avec l'œuf battu jusqu'à consistance ferme.

Rincer légèrement les filets de poisson ou éponger à l'aide d'essuie-tout et réserver. Équeuter les épinards, les laver à grande eau, les mettre dans un récipient et recouvrir d'eau bouillante. Laisser 1 à 2 minutes jusqu'à ce qu'ils aient ramolli puis bien égoutter.

Placer les filets, côté de la peau en dessous, sur une planche à découper et déposer par-dessus 2 ou 3 feuilles d'épinard. Répartir la farce sur les quatre filets en l'étalant délicatement puis rouler le filet en commençant par l'extrémité de la queue. Retenir le tout au moyen de cure-dents.

Huiler légèrement la grille et la placer dans l'autocuiseur. Y déposer le poisson. Mélanger le vin, le jus de citron et 150 ml/^{1}/4 pt d'eau et arroser le poisson. Fermer le couvercle et amener à une pression de 6,8 kg/15 lb. Cuire 3 minutes puis décompresser rapidement.

Retirer le poisson du cuiseur et le tenir au chaud. Passer le jus de cuisson et le remettre dans la marmite. Malaxer le beurre ou la margarine et la farine pour former une pâte. Faire bouillir le jus de cuisson puis incorporer la pâte par petites cuillerées. Cuire en remuant jusqu'à ce que se forme une sauce onctueuse et glacée. Hacher grossièrement les crevettes et les ajouter à la sauce en même temps que la crème. Saler et poivrer. Napper le poisson, garnir et servir.

4 *personnes*
Niveau de pression: **6,8 kg/15 lb**
Préparation: **20 minutes**
Cuisson à découvert: **6 minutes**
Cuisson sous pression: **3 minutes**

FARCE
1 c. à table d'huile
3 échalotes pelées et hachées menu
6 oignons verts hachés
1 c. à table de zeste de citron râpé
2 c. à table de pignons grillés
50 g/2 oz de petits champignons blancs hachés
75 g/3 oz de chapelure blanche fraîche
Sel et poivre noir du moulin
1 œuf moyen battu

POISSON
4 gros filets de sole, sans peau
8 à 12 grandes feuilles d'épinard
150 ml/^{1}/4 pt de vin blanc mi-sec
2 c. à table de jus de citron
2 c. à thé de beurre mou ou de margarine
2 c. à thé de farine blanche
50 g/2 oz de crevettes décortiquées, décongelées au besoin
3 c. à table de crème 35 %

GARNITURE
Fines herbes fraîches et quartiers de citron

TRANCHES DE POISSON ÉPICÉES

IL FAUT EMPLOYER ICI UN POISSON FERME. LA CHAIR DE LA SOLE OU DU FLET EST TROP DÉLICATE ET LEUR GOÛT SERAIT COMPLÈTEMENT MASQUÉ PAR LES ÉPICES. FAIRE MARINER LE POISSON AU RÉFRIGÉRATEUR PENDANT PLUSIEURS HEURES PERMET D'ACCENTUER LA SAVEUR ÉPICÉE.

Éponger les tranches de poisson à l'aide d'essuie-tout et réserver. Mélanger les épices, le sel et le poivre avec 1 cuillerée à table d'huile pour former une pâte épaisse puis en badigeonner le poisson. Mettre dans un plat, couvrir sans serrer et placer au réfrigérateur pendant au moins 1 heure, jusqu'au lendemain si possible.

Dans l'autocuiseur, chauffer le reste d'huile et faire sauter l'oignon, l'ail et l'aubergine 2 minutes. Ajouter les courgettes et le poivron et faire sauter 2 minutes de plus. Ajouter les tomates, le sel, le poivre et 1 cuillerée à table de coriandre hachée et mouiller avec le jus de tomate.

Déposer le poisson par-dessus et fermer le couvercle. Amener à une pression de 6,8 kg/15 lb et cuire 3 minutes. Décompresser rapidement, sortir les darnes et les légumes, les disposer sur un plat de service et garder au chaud.

Délayer la fécule de maïs dans 1 cuillerée à table d'eau et incorporer le mélange au jus de cuisson. Cuire en remuant jusqu'à ce que la sauce épaississe. Rectifier l'assaisonnement et verser sur le poisson. Garnir avec le reste de coriandre et servir accompagné de riz.

4 *personnes*
Niveau de pression: **6,8 kg/15 lb**
Préparation: **10 minutes, plus**
  1 heure de réfrigération
Cuisson à découvert: **5 minutes**
Cuisson sous pression: **3 minutes**

4 tranches de poisson de
  150 g/5 oz, comme espadon,
  morue ou églefin
1 c. à thé de coriandre en
  poudre
1 c. à thé de cumin en poudre
1/2 à 1 c. à thé de poudre de
  chili
Sel et poivre noir du moulin
2 c. à table d'huile
1 oignon pelé et haché

3 à 4 gousses d'ail pelées et
  écrasées
1 petite aubergine, d'environ
  225 g/8 oz, coupée en dés
2 courgettes moyennes, coupées
  en tronçons
1 poivron rouge, épépiné et
  coupé en demi-rondelles
4 tomates mûres mais fermes,
  épépinées (au choix) et
  coupées en quatre
2 c. à table de coriandre fraîche
  hachée
250 ml/8 oz de jus de tomate
2 c. à thé de fécule de maïs

ACCOMPAGNEMENT
Riz

ÉGLEFIN PARFUMÉ AU COCO

LE COCO AJOUTE À CE PLAT UNE SAVEUR CRÉMEUSE EXQUISE. SI ON NE TROUVE PAS DE LAIT DE COCO, ON PEUT FAIRE TREMPER DE LA NOIX DE COCO SÉCHÉE NON SUCRÉE DANS DE L'EAU PRESQUE BOUILLANTE, PENDANT 20 MINUTES, FILTRER ET UTILISER L'EAU AINSI AROMATISÉE.

Éponger les filets de poisson et les mettre sur un morceau de papier ciré. Badigeonner la grille de beurre fondu et la placer dans l'autocuiseur. Déposer le poisson sur le papier ciré par-dessus, saupoudrer de safran et arroser de lait de coco. Hacher grossièrement 3 oignons verts et en parsemer le poisson.

Tapisser le panier de papier d'aluminium et y mettre le riz, 450 ml/3/4 pt d'eau bouillante, le maïs et les abricots. Hacher menu le reste d'oignons verts et le chili et joindre au riz. Déposer sur le poisson.

Fermer le couvercle, amener à une pression de 4,5 kg/10 lb et cuire 5 minutes. Décompresser lentement et sortir le riz et le poisson.

Effeuiller le poisson et l'incorporer au riz. Ajouter le sel et le paprika ainsi que la coriandre, mélanger un peu et servir.

4 *personnes*
Niveau de pression: **4,5 kg/10 lb**
Préparation: **15 minutes**
Cuisson sous pression: **5 minutes**

4 morceaux de filet d'églefin
1 c. à thé de beurre fondu
Quelques filaments de safran
300 ml/1/2 pt de lait de coco
8 oignons verts

300 g/10 oz de riz basmati
100 g/4 oz de maïs en grains
75 g/3 oz d'abricots secs hachés
1 chili rouge épépiné
Sel
Paprika
2 c. à table de coriandre fraîche hachée

MORUE À LA PROVENÇALE

LA LONGE DE MORUE COÛTE PLUS CHER QUE LES FILETS OU LES DARNES. L'ACHAT EST MALGRÉ TOUT INTÉRESSANT CAR CES MORCEAUX DE POISSON SONT FERMES, ÉPAIS ET NE CONTIENNENT QUE PEU OU PAS DU TOUT D'ARÊTES.

4 *personnes*
Niveau de pression: **6,8 kg/15 lb**
Préparation: **5 minutes**
Cuisson à découvert: **5 minutes**
Cuisson sous pression: **3 minutes**

1 c. à table d'huile
1 oignon pelé et tranché
4 gousses d'ail pelées et tranchées
3 branches de céleri tranchées
1 poivron vert, épépiné et tranché
1 poivron rouge, épépiné et tranché
2 courgettes coupées en rondelles
400 g/14 oz de tomates broyées en conserve

1 c. à table de pâte de tomate
1 c. à table d'origan frais haché
4 longes de morue de 150 g/5 oz
1 c. à thé de fécule de maïs
Sel et poivre noir du moulin

GARNITURE
50 g/2 oz d'olives noires, dénoyautées et coupées en rondelles
1 c. à table d'origan frais haché

ACCOMPAGNEMENT
Pommes de terre ou riz, et légumes

Morue à la provençale

Dans l'autocuiseur, chauffer l'huile et faire revenir l'oignon, l'ail, le céleri et les poivrons, 3 minutes ou jusqu'à ce qu'ils commencent à ramollir. Ajouter les courgettes et les tomates broyées ainsi que leur jus. Délayer la pâte de tomate dans 150 ml/$1/4$ pt d'eau et ajouter dans le cuiseur avec l'origan. Déposer la morue par-dessus.

Fermer le couvercle, amener à une pression de 6,8 kg/15 lb et cuire 3 minutes. Décompresser rapidement puis retirer le poisson et le garder au chaud.

Délayer la fécule de maïs dans 1 cuillerée à table d'eau et incorporer à la sauce. Porter à ébullition et cuire en remuant jusqu'à épaississement. Saler et poivrer.

Napper le poisson de sauce et parsemer de rondelles d'olives et d'origan. Servir accompagné de pommes de terre ou de riz ainsi que de légumes.

TRUITE AU BEURRE D'HERBES

SI VOUS NE TROUVEZ PAS DE PETITES TRUITES ENTIÈRES QUI PUISSENT
LOGER DANS VOTRE AUTOCUISEUR, VOUS POUVEZ LES REMPLACER PAR
DES FILETS ET RÉDUIRE LE TEMPS DE CUISSON À 2 MINUTES.

4 *personnes*
Niveau de pression: **6,8 kg/15 lb**
Préparation: **8 minutes**
Cuisson sous pression: **3 minutes**

BEURRE
1 citron
75 g/3 oz de beurre mou
1 c. à table de persil frais haché
1 c. à table d'aneth frais haché
1 c. à table de ciboulette fraîche
  ciselée

POISSON
4 petites truites de 225 g/8 oz,
  nettoyées
Sel et poivre noir du moulin
1 oignon moyen, pelé et tranché
4 feuilles de laurier
3 branches de céleri hachées
300 ml/$^1/_2$ pt d'un mélange en parts
  égales de vin blanc et d'eau

GARNITURE
Quartiers de citron et fines herbes
  fraîches

ACCOMPAGNEMENT
Pommes de terre nouvelles et légumes
  ou salade

Râper le zeste du citron. Réserver le zeste et tailler le citron en fines rondelles. Travailler
le beurre en pommade avec le zeste de citron et les herbes. Façonner en forme de
saucisson, envelopper de papier ciré et conserver au réfrigérateur jusqu'à l'emploi.

Rincer les truites et les éponger avec de l'essuie-tout. Saler et poivrer l'intérieur des
poissons, y déposer quelques tranches d'oignon et une feuille de laurier. Terminer par
une demi-rondelle de citron et rabattre le flanc du poisson.

Mettre le reste d'oignon et des rondelles de citron ainsi que le céleri haché dans
l'autocuiseur et déposer les truites par-dessus. Mouiller avec le mélange d'eau et de vin
et fermer le couvercle.

Amener à une pression de 6,8 kg/15 lb et cuire 3 minutes. Décompresser rapidement
et retirer les truites du cuiseur. Déposer un quart du beurre de fines herbes sur chacun
des poissons et garnir de quartiers de citron et de fines herbes. Servir accompagné de
pommes de terre nouvelles et de légumes fraîchement cuits ou d'une salade.

SALADE TIÈDE DE PÂTES AU THON

SI VOUS NE TROUVEZ PAS DE THON FRAIS, VOUS POUVEZ LE REMPLACER PAR DES TRANCHES D'ESPADON OU DE SAUMON. IL NE FAUT PAS TROP CUIRE LE THON FRAIS SINON IL SERA SEC ET N'AURA PLUS AUCUN GOÛT.

Dans l'autocuiseur, chauffer l'huile et faire revenir l'oignon, le piment et le céleri, 3 minutes. Joindre les poivrons hachés et l'aubergine et faire revenir 4 minutes de plus. Ajouter les tomates broyées avec leur jus ainsi que les olives noires.

Huiler légèrement la grille, la mettre dans le cuiseur et y déposer les tranches de thon.

Tapisser le panier de papier d'aluminium, ajouter les pâtes et 450 ml/3/4 pt d'eau et poser sur le poisson. Fermer le couvercle, amener à une pression de 6,8 kg/15 lb et cuire 5 minutes. Décompresser rapidement et retirer les pâtes et le thon. Égoutter les pâtes, les mettre dans un saladier et mélanger. Émietter le thon et le mêler aux pâtes en même temps que les légumes cuits. Saler et poivrer. Mélanger délicatement et servir tiède parsemé de feuilles de basilic et, au choix, de copeaux de parmesan.

6 *personnes*
Niveau de pression: **6,8 kg/15 lb**
Préparation: **10 minutes**
Cuisson à découvert: **7 minutes**
Cuisson sous pression: **5 minutes**

1 c. à table d'huile d'olive
1 oignon pelé et coupé en quartiers
1 petit piment jalapeño épépiné et haché
3 branches de céleri tranchées
1 poivron rouge, épépiné et haché
1 poivron vert, épépiné et haché
1 petite aubergine hachée
400 g/14 oz de tomates broyées en conserve
100 g/4 oz d'olives noires dénoyautées
450 g/1 lb de thon frais en tranches
175 g/6 oz de pâtes fantaisie sèches telles que boucles ou spirales
Sel et poivre noir du moulin

GARNITURE
2 c. à table de feuilles de basilic
Copeaux de parmesan (facultatif)

PILAF DE HADDOCK

LE HADDOCK (ÉGLEFIN FUMÉ) NE SE VEND PAS PARTOUT; VOUS POUVEZ LE REMPLACER PAR DE LA MORUE FUMÉE.

Verser 300 ml/1/2 pt d'eau dans l'autocuiseur et placer le support. Tapisser le panier de papier d'aluminium, y mettre les petits pois et le riz et mouiller avec 450 ml/3/4 pt de bouillon. Fermer le couvercle, amener à une pression de 6,8 kg/15 lb et cuire 5 minutes. Décompresser lentement, retirer les petits pois et le riz et conserver au chaud. Enlever le support et essuyer l'autocuiseur.

Dans le cuiseur, chauffer l'huile et faire sauter le lard fumé, l'oignon, l'ail et le céleri 3 minutes. Ajouter le poivron, les champignons, les tomates broyées avec leur jus et le reste du bouillon et déposer le poisson par-dessus.

Fermer le couvercle, amener à une pression de 6,8 kg/15 lb et cuire 5 minutes. Décompresser rapidement et mettre dans un plat de service chaud. Effeuiller le poisson, le mélanger au riz et aux légumes. Saler et poivrer. Servir aussitôt, décoré de brins de persil.

4 *personnes*
Niveau de pression: **6,8 kg/15 lb**
Préparation: **15 minutes**
Cuisson à découvert: **3 minutes**
Cuisson sous pression: **10 minutes**

75 g/3 oz de petits pois surgelés
225 g/8 oz de riz à grains longs
600 ml/1 pt de bouillon de poisson ou de légumes
1 c. à table d'huile
225 g/8 oz de lard fumé, haché
1 oignon moyen, pelé et haché
3 gousses d'ail pelées et hachées

3 branches de céleri hachées
1 poivron rouge, épépiné et haché
4 gros agarics champêtres hachés
400 g/14 oz de tomates broyées en conserve
350 g/12 oz de filet de haddock, sans peau
Sel et poivre noir du moulin

GARNITURE
Brins de persil plat

BAR À L'ORIENTALE

SI ON NE TROUVE PAS DE PETITS BARS QUI LOGENT DANS L'AUTOCUISEUR, IL EST PRÉFÉRABLE D'UTILISER DES FILETS POUR S'ASSURER QUE LE POISSON SERA BIEN CUIT ET PRÉSENTABLE.

Rincer le poisson, éponger et réserver. Mélanger le gingembre râpé, l'ail, la citronnelle et le piment. Répartir ce mélange à l'intérieur des poissons (ou sur les filets puis les rouler sans serrer) et poser sur le dessus l'anis étoilé et les lanières d'oignons verts.

Huiler légèrement la grille et y déposer le poisson. Ajouter au bouillon le saké ou le xérès et verser sur le poisson.

Tapisser le panier de papier d'aluminium, y mettre le riz et mouiller avec 450 ml/3/4 pt d'eau bouillante. Placer dans le cuiseur par-dessus le poisson. Fermer le couvercle, amener rapidement à une pression de 6,8 kg/15 lb et cuire 5 minutes.

Décompresser rapidement, retirer le riz et le poisson et tenir au chaud. Passer le jus de cuisson, le remettre dans le cuiseur propre et porter à ébullition. Délayer la fécule de maïs dans 1 cuillerée à table d'eau puis incorporer au jus de cuisson. Cuire en remuant jusqu'à épaississement.

Dresser le riz sur des assiettes individuelles chaudes, déposer le poisson par-dessus, verser un peu de sauce et servir le reste en saucière. Garnir de brins de coriandre et servir aussitôt, accompagné de salade.

4 *personnes*
Niveau de pression: **6,8 kg/15 lb**
Préparation: **10 minutes**
Cuisson sous pression: **5 minutes**

- **4 petits bars entiers (ou 4 filets de 225 g/8 oz de bar ou d'un poisson semblable), vidés et écaillés au besoin**
- **1 morceau de 5 cm/2 po de gingembre frais pelé et râpé**
- **2 grosses gousses d'ail pelées et écrasées**
- **3 tiges de citronnelle effeuillées et très finement hachées**
- **1 piment serrano épépiné et finement haché**
- **8 étoiles d'anis**
- **6 gros oignons verts coupés en lanières**
- **1 c. à thé d'huile**
- **250 ml/8 oz de bouillon de poisson ou de légumes**
- **50 ml/2 oz de saké ou de xérès sec**
- **300 g/10 oz de riz parfumé thaïlandais**
- **1 c. à thé de fécule de maïs**

GARNITURE
Brins de coriandre

ACCOMPAGNEMENT
Salade verte chinoise

RAGOÛT DE LOTTE
AUX LÉGUMES PRINTANIERS

LA LOTTE DE MER (OU BAUDROIE) EST UN POISSON TRÈS LAID MAIS À LA CHAIR FERME,
D'UNE CUISSON FACILE, ET QUI S'ACCOMMODE BIEN DE SAVEURS ROBUSTES.

Enlever l'arête centrale et la peau de la lotte, rincer brièvement puis détailler en petits morceaux. Bien saler et poivrer et réserver. Couper tous les légumes en morceaux de même grosseur et laisser en attente.

Dans l'autocuiseur, chauffer l'huile et faire sauter les légumes à feu doux, à l'exception des gourganes et des courgettes, 3 minutes. Joindre les gourganes et les courgettes, faire sauter 1 minute de plus puis ajouter le bouquet garni.

Délayer la pâte de tomate dans le bouillon, verser sur les légumes et assaisonner un peu. Déposer les morceaux de poisson sur les légumes et saupoudrer d'1 cuillerée à table d'aneth. Fermer le couvercle, amener à une pression de 6,8 kg/15 lb et cuire 3 minutes.

Décompresser rapidement et rectifier l'assaisonnement. Retirer les légumes et le poisson et garder au chaud.

Malaxer le beurre et la farine pour former une pâte puis l'incorporer par petites cuillerées au jus de cuisson. Porter à ébullition, en fouettant, et cuire jusqu'à épaississement. Napper le poisson et les légumes et servir parsemé du reste d'aneth.

4 *personnes*
Niveau de pression: **6,8 kg/15 lb**
Préparation: **20 minutes**
Cuisson à découvert: **4 minutes**
Cuisson sous pression: **3 minutes**

1 morceau de 675 g/1 ^{1}/$_2$ lb de queue de lotte

Sel et poivre noir du moulin

8 petits oignons pelés

4 petits navets pelés

300 g/10 oz de pommes de terre grelots, grattées

300 g/10 oz de petites carottes grattées

1 c. à table d'huile

175 g/6 oz de gourganes (fèves des marais) écossées

175 g/6 oz de petites courgettes

1 bouquet garni

2 c. à table de pâte de tomate

300 ml/^{1}/$_2$ pt de bouillon de légumes

2 c. à table d'aneth frais ciselé

1 c. à table de beurre mou

1 c. à table de farine blanche

VIANDES

PORC À L'ANANAS
SAUCE AIGRE-DOUCE

CE PLAT DE PORC TRÈS COLORÉ CONVIENT TOUT AUTANT À LA FAMILLE QU'À DES CONVIVES. GRÂCE À L'AUTOCUISEUR, VOTRE REPAS SERA PRÊT EN QUELQUES MINUTES.

Dans l'autocuiseur, chauffer l'huile et faire revenir le porc 5 minutes ou jusqu'à ce qu'il soit saisi. Retirer à l'aide d'une écumoire et réserver. Ajouter les oignons et l'ail et faire sauter 5 minutes ou jusqu'à ce qu'ils aient ramolli. Retirer et égoutter.

Remettre le porc et les oignons dans le cuiseur ainsi que les carottes, les poivrons et les champignons.

Récupérer le jus des ananas et réserver les morceaux. Mélanger le jus à de l'eau pour obtenir 300 ml/1/2 pt de liquide. Mélanger le ketchup, la sauce soja, le vinaigre et la cassonade puis ajouter le jus d'ananas et verser dans le cuiseur.

Fermer le couvercle, amener à une pression de 6,8 kg/15 lb et cuire 5 minutes. Décompresser rapidement puis ajouter les morceaux d'ananas.

Délayer la fécule de maïs dans 1 cuillerée à table d'eau et l'incorporer au ragoût. Porter à ébullition en remuant, jusqu'à épaississement. Saler et poivrer, saupoudrer de noix de cajou et de persil et servir accompagné de riz ou de pommes de terre.

4 *personnes*
Niveau de pression: **6,8 kg/15 lb**
Préparation: **15 minutes**
Cuisson à découvert: **15 minutes**
Cuisson sous pression: **5 minutes**

1 c. à table d'huile
450 g/1 lb de filet de porc, paré et coupé en cubes
2 oignons rouges, pelés et coupés en quartiers
4 gousses d'ail pelées et tranchées
225 g/8 oz de carottes pelées et coupées en fine julienne
1 poivron rouge, épépiné et coupé en lanières
1 poivron jaune, épépiné et coupé en lanières
100 g/4 oz de champignons sauvages ou blancs, brossés ou essuyés et tranchés s'ils sont gros

200 g/7 oz d'ananas en morceaux en conserve
2 c. à table de ketchup
1 c. à table de sauce soja légère
1 c. à table de vinaigre de vin blanc
2 c. à thé de cassonade
1 c. à table de fécule de maïs
Sel et poivre noir du moulin

GARNITURE
50 g/2 oz de noix de cajou grillées
1 c. à table de persil plat frais haché

ACCOMPAGNEMENT
Riz ou pommes de terre nouvelles

CÔTES LEVÉES SAUCE BARBECUE

POUR DÉGUSTER CES SUCCULENTES CÔTES, IL FAUDRA PRÉVOIR UNE GRANDE QUANTITÉ DE SERVIETTES EN PAPIER AINSI QUE DES RINCE-DOIGTS.

4 *personnes*
Niveau de pression: **6,8 kg/15 lb**
Préparation: **5 minutes**
Cuisson à découvert: **10 minutes**
Cuisson sous pression: **10 minutes**

2 c. à table d'huile
900 g/2 lb de côtes levées (travers de porc)
1 gros oignon pelé et haché
4 à 6 gousses d'ail pelées et écrasées
4 branches de céleri tranchées
2 c. à table de pâte de tomate
1 c. à table de moutarde de Dijon
1 c. à table de mélasse
4 c. à table de cassonade dorée
250 ml/8 oz de bouillon de poulet ou de légumes
175 g/6 oz de tomates cerises

ACCOMPAGNEMENT
Lanières de bok choy (chou chinois) ou d'une
  verdure orientale similaire

Dans l'autocuiseur, chauffer 1 cuillerée à table d'huile
et faire dorer les côtes de tous côtés. Retirer et
réserver. Nettoyer la marmite, ajouter le reste d'huile
puis l'oignon, l'ail et le céleri. Faire sauter 5 minutes
et remettre les côtes.

Mélanger la pâte de tomate, la moutarde, la mélasse,
la cassonade et le bouillon et verser sur les côtes.
Ajouter les tomates cerises et fermer le couvercle.

Amener à une pression de 6,8 kg/15 lb, cuire
10 minutes puis décompresser rapidement. Servir
sur un lit de verdure orientale ou bien déposer sur un
plateau à grillades tapissé de papier d'aluminium et
passer sous le gril environ 10 minutes, en retournant
les côtes au moins une fois, jusqu'à ce qu'elles soient
croustillantes.

RAGOÛT DE PORC AUX ABRICOTS

LES ABRICOTS SECS SONT L'UN DE MES INGRÉDIENTS PRÉFÉRÉS
ET ILS FONT PARTIE D'UN GRAND NOMBRE DE MES RECETTES.
CETTE FOIS-CI, JE LES AI ASSOCIÉS À DU CIDRE POUR DONNER
AU PORC UN GOÛT TOTALEMENT INHABITUEL.

4 *personnes*
Niveau de pression: **6,8 kg/15 lb**
Préparation: **10 minutes**
Cuisson à découvert: **6 minutes**
Cuisson sous pression: **15 minutes**

450 g/1 lb de filet de porc
1 c. à table d'huile
1 oignon moyen, pelé et tranché
3 à 4 gousses d'ail pelées et tranchées
75 g/3 oz d'abricots secs hachés
2 carottes moyennes, pelées et
  coupées en julienne

1 poivron jaune, épépiné et coupé
  en demi-rondelles
1 bouquet garni
450 ml/3/4 pt de cidre doux
1 c. à table de sauce soja foncée
Sel et poivre noir du moulin
2 c. à thé de fécule de maïs

GARNITURE
Abricots frais, si possible, et
  feuilles de sauge fraîche

ACCOMPAGNEMENT
Légumes fraîchement cuits

Dégraisser le porc et le détailler en petits morceaux. Dans l'autocuiseur, chauffer
l'huile et faire sauter l'oignon, l'ail, les abricots et les carottes 2 minutes. À l'aide
d'une écumoire, retirer de la marmite et réserver. Mettre le porc dans le cuiseur
et cuire en remuant, 2 minutes ou jusqu'à ce qu'il soit saisi.

Remettre le mélange à l'oignon, ajouter le poivron et le bouquet garni puis
mouiller avec le cidre. Bien mélanger.

Fermer le couvercle, amener à une pression de 6,8 kg/15 lb et cuire
15 minutes. Décompresser rapidement puis ajouter la sauce soja, le sel et le
poivre. Délayer la fécule de maïs dans 1 cuillerée à table de cidre et l'incorporer
au ragoût. Mettre à chauffer sur feu doux et cuire en remuant jusqu'à ce que le
mélange ait un peu épaissi. Retirer le bouquet garni. Servir décoré d'abricots et
de sauge et accompagné de légumes fraîchement cuits.

PORC FARCI AUX PRUNEAUX
ET À L'ORANGE

LORSQU'ON CUISINE À L'AUTOCUISEUR, IL FAUT CHANGER SA FAÇON DE FAIRE EN MATIÈRE D'ASSAISONNEMENT. J'AI REMARQUÉ QU'À MOINS D'AVOIR L'HABITUDE D'UTILISER DE GRANDES QUANTITÉS DE SEL ET DE POIVRE, LA NOURRITURE SORT EN GÉNÉRAL ASSEZ FADE. IL FAUT DONC SALER ET POIVRER AVANT LA CUISSON ET TOUJOURS GOÛTER POUR ÉVENTUELLEMENT RECTIFIER AVANT DE SERVIR.

Découper les côtes de porc le long de la graisse de manière à former une pochette.

Dans l'autocuiseur, chauffer l'huile et faire dorer les côtes sur les deux faces (le faire en 2 fois au besoin). Retirer de la marmite et laisser refroidir pendant la préparation de la farce.

Mélanger les pruneaux hachés, le zeste d'orange, les pacanes, le riz, la sauge, le sel et le poivre; incorporer le jaune d'œuf et farcir les côtes de porc avec ce mélange.

Mettre les côtes de porc dans le cuiseur et ajouter le jus d'orange et le vin blanc.

Fermer le couvercle, amener à une pression de 6,8 kg/15 lb et cuire 15 minutes. Décompresser rapidement, retirer de la marmite et garder au chaud.

Ajouter la gelée d'oranges au jus de cuisson, porter à ébullition et laisser bouillir 2 à 3 minutes ou jusqu'à ce que la sauce soit sirupeuse. Napper les côtes de sauce et garnir de feuilles de sauge fraîche et de quartiers de prunes. Servir accompagné de légumes fraîchement cuits ou d'une salade.

4 *personnes*
Niveau de pression: **6,8 kg/15 lb**
Préparation: **10 minutes**
Cuisson à découvert: **8 minutes**
Cuisson sous pression: **15 minutes**

4 côtes de porc désossées
1 c. à table d'huile
50 g/2 oz de pruneaux hachés
1 c. à table de zeste d'orange râpé
2 c. à table de pacanes hachées
50 g/2 oz de riz à grains longs cuit
1 c. à table de sauge fraîche hachée
Sel et poivre noir du moulin
1 petit jaune d'œuf
150 ml/^{1}/$_4$ pt de jus d'orange
150 ml/^{1}/$_4$ pt de vin blanc sec
2 c. à table de gelée d'oranges

GARNITURE
Feuilles de sauge fraîche et quartiers de prunes

ACCOMPAGNEMENT
Légumes ou salade

CUBES DE PORC AU PAPRIKA

LORSQUE LE TEMPS COMMENCE À RAFRAÎCHIR, ON APPRÉCIE TOUJOURS UN PLAT
BIEN CONSISTANT, COMME CELUI-CI PAR EXEMPLE.

Dans l'autocuiseur, chauffer l'huile et faire revenir l'oignon et l'ail
2 minutes. Ajouter la viande et continuer à faire revenir jusqu'à ce
qu'elle soit complètement saisie. Joindre les poivrons et
saupoudrer de paprika. Faire sauter encore 2 minutes avant
d'ajouter les tomates et leur jus, un peu de sel et 150 ml/$\frac{1}{4}$ pt
de bouillon. Fermer le couvercle, amener à une pression de
6,8 kg/15 lb et cuire 8 minutes. Décompresser rapidement, ôter
le couvercle et ajouter l'aubergine.

Placer le support sur la viande et tapisser le panier de papier
d'aluminium. Mettre les pâtes dans le panier et mouiller avec le
reste de bouillon. Poser sur le support, fermer le couvercle et
amener à une pression de 6,8 kg/15 lb. Cuire 5 minutes puis
décompresser rapidement.

Retirer le panier, égoutter au besoin les pâtes et les dresser sur
un plat chaud.

Rectifier l'assaisonnement de la viande, incorporer la crème sure
et le persil haché. Disposer sur les pâtes cuites et servir.

6 *personnes*
Niveau de pression: **6,8 kg/15 lb**
Préparation: **10 minutes**
Cuisson à découvert: **7 minutes**
Cuisson sous pression: **13 minutes**

2 c. à table d'huile
1 gros oignon pelé et tranché
**3 à 4 gousses d'ail pelées et
  écrasées**
675 g/1 $\frac{1}{2}$ lb de cubes de porc
**1 poivron rouge, épépiné et
  coupé en demi-rondelles**
**1 poivron vert, épépiné et coupé
  en demi-rondelles**
1 c. à table de paprika
**400 g/14 oz de tomates
  broyées en conserve**
Sel
**600 ml/1 pt de bouillon de porc
  ou de légumes**
**1 petite aubergine, d'environ
  225 g/8 oz, coupée en dés**
225 g/8 oz de pâtes
150 ml/$\frac{1}{4}$ pt de crème sure
2 c. à table de persil frais haché

CASSOULET À L'AMÉRICAINE

CE PLAT ILLUSTRE BIEN LES AVANTAGES DE L'UTILISATION D'UN AUTOCUISEUR: LA CUISSON QUI PRENDRAIT NORMALEMENT DE 3 À 4 HEURES EST CONSIDÉRABLEMENT RÉDUITE SANS ALTÉRER LE GOÛT FINAL.

4 *personnes*

Niveau de pression: **6,8 kg/15 lb**

Préparation: **10 minutes plus 1 heure de trempage**

Cuisson à découvert: **5 minutes**

Cuisson sous pression: **18 minutes**

225 g/8 oz de haricots blancs secs

1 c. à table d'huile

2 oignons moyens, pelés et hachés

4 gousses d'ail pelées et hachées

450 g/1 lb de flanc de porc, coupé en dés

1 c. à thé de moutarde en poudre

$1/2$ c. à thé de cannelle en poudre

$1/4$ c. à thé de clous de girofle en poudre

1 c. à table de mélasse

1 c. à table de vinaigre de vin rouge

2 c. à table de pâte de tomate

400 g/14 oz de tomates broyées en conserve

250 ml/8 oz de bouillon de légumes ou de poulet

Sel et poivre noir du moulin

2 c. à table de persil frais haché

GARNITURE

Brins de persil

Recouvrir les haricots d'eau bouillante et faire tremper 1 heure. Égoutter et réserver.

Dans l'autocuiseur, chauffer l'huile et faire revenir les oignons, l'ail et les dés de porc 5 minutes. Mélanger la moutarde et les épices avec la mélasse, le vinaigre et la pâte de tomate et verser dans le cuiseur. Ajouter les haricots ainsi que les tomates avec leur jus, le bouillon, le sel et le poivre.

Fermer le couvercle, amener à une pression de 6,8 kg/15 lb et cuire 18 minutes.

Décompresser lentement, incorporer le persil haché et servir décoré de brins de persil.

AGNEAU AUX HARICOTS PINTO

CE REPAS EST TOUT INDIQUÉ LORSQUE LES JOURNÉES COMMENCENT À SE FAIRE PLUS FRAÎCHES. SI VOUS AIMEZ LA NOURRITURE PIQUANTE, VOUS POUVEZ JOINDRE UN OU DEUX PIMENTS FORTS HACHÉS AU MÉLANGE D'OIGNON, D'AIL ET DE FENOUIL.

4 *personnes*

Niveau de pression: **6,8 kg/15 lb**

Préparation: **8 minutes, plus 1 heure de trempage**

Cuisson à découvert: **6 minutes**

Cuisson sous pression: **12 minutes**

225 g/8 oz de haricots pinto secs

1 c. à table d'huile

4 côtes doubles d'agneau

1 oignon moyen, pelé et coupé en quartiers

4 gousses d'ail pelées et tranchées

1 bulbe de fenouil tranché

400 g/14 oz de tomates broyées en conserve

2 à 3 c. à thé de sauce Worcestershire

1 c. à table de paprika

1 c. à table de pâte de tomate

300 ml/$1/2$ pt de bouillon de bœuf

Sel

2 c. à table de persil frais haché

ACCOMPAGNEMENT

Pain croustillant et salade verte

Recouvrir les haricots d'eau bouillante et laisser tremper 1 heure. Égoutter et réserver.

Dans l'autocuiseur, chauffer l'huile et faire brunir les côtes d'agneau sur toutes leurs faces. Retirer de la marmite et réserver.

Mettre dans le cuiseur l'oignon, l'ail et le fenouil et faire sauter 3 minutes puis ajouter les haricots égouttés, les tomates broyées et leur jus, la sauce Worcestershire et le paprika.

Délayer la pâte de tomate dans le bouillon et incorporer au mélange de haricots. Placer les côtes d'agneau par-dessus et porter à ébullition. Fermer le couvercle, amener à une pression de 6,8 kg/15 lb et cuire 12 minutes.

Décompresser lentement puis retirer la viande. Saler les haricots, ajouter le persil haché et servir les côtes d'agneau accompagnées des haricots, de pain croustillant et d'une salade verte.

ROSBIF ÉPICÉ EN COCOTTE

CE RÔTI EST TOUT AUSSI DÉLICIEUX CHAUD QUE FROID. FROID IL PEUT SE SERVIR À UN BUFFET OU UN PIQUE-NIQUE OU ENCORE À L'OCCASION D'UN SOUPER EN PLEIN AIR, ACCOMPAGNÉ D'UNE SALADE.

Dans l'autocuiseur, chauffer l'huile et faire dorer le rôti de tous les côtés. Enlever de la marmite. Ajouter les légumes et faire sauter 5 minutes. Les retirer à l'aide d'une écumoire et égoutter le cuiseur.

Ajouter le bouillon et le mélange vin et eau, bien remuer pour ôter tous les résidus qui auraient attaché à l'autocuiseur. Placer la grille et y déposer le rôti. Disposer les légumes autour de la viande.

Parsemer de clous de girofle, de feuilles de laurier, de cannelle, de gingembre et de la cassonade et fermer le couvercle. Amener à une pression de 6,8 kg/15 lb et cuire 45 minutes.

Décompresser rapidement, retirer le rôti et les légumes, dresser sur un plat de service et garder au chaud. Parsemer les légumes de persil juste avant de servir.

Entre-temps, passer le jus de cuisson au-dessus du cuiseur et porter à ébullition. Délayer la fécule de maïs dans 1 cuillerée à table d'eau et incorporer au liquide bouillonnant. Cuire en remuant, 2 à 3 minutes ou jusqu'à ce que la sauce épaississe. Servir avec le rôti et les légumes.

6 *personnes*
Niveau de pression: **6,8 kg/15 lb**
Préparation: **15 minutes**
Cuisson à découvert: **10 minutes**
Cuisson sous pression: **45 minutes**

1 c. à table d'huile
1 rôti de 1,5 kg/3 lb, dans la poitrine ou tout autre morceau à cuire en cocotte
2 navets pelés et coupés en morceaux
2 grosses carottes pelées et coupées en tronçons
10 petits oignons pelés
3 branches de céleri coupées en tronçons
300 ml / 1/2 pt de bouillon de bœuf
300 ml/1/2 pt de vin rouge et d'eau mélangés
Environ 10 clous de girofle
2 feuilles de laurier
1 bâtonnet de cannelle un peu écrasé
1 petit morceau de gingembre frais haché
1 c. à table de cassonade dorée
1 c. à table de fécule de maïs

GARNITURE
1 c. à table de persil frais haché

FOIE D'AGNEAU AU MARSALA

LE MARSALA EST UN VIN DOUX EMPLOYÉ DANS LE SABAYON, UN DESSERT ITALIEN. ASSOCIÉ DANS CE CAS À DU FOIE, IL DONNE À LA SAUCE RICHESSE ET SAVEUR. IL FAUDRA PRÉVOIR DE GRANDES QUANTITÉS DE PAIN OU DE POMMES DE TERRE POUR LA SAVOURER JUSQU'À LA DERNIÈRE GOUTTE!

Découper le foie en fines lanières, rincer et éponger sur de l'essuie-tout. Dans l'autocuiseur, chauffer 1 cuillerée à table d'huile et faire brunir le foie de tous les côtés. Enlever de la marmite et la rincer. Ajouter le reste d'huile ainsi que l'oignon et l'ail et faire revenir 3 minutes. Ajouter le bouillon, le vin et la gelée de groseilles puis disposer le foie sur le dessus.

Placer la grille dans le cuiseur et poser les pommes de terre par-dessus. Fermer le couvercle, amener à une pression de 6,8 kg/15 lb et cuire 3 minutes. Décompresser rapidement et ôter le couvercle.

Placer le brocoli dans le panier, le mettre sur les pommes de terre, fermer le couvercle et amener de nouveau à une pression de 6,8 kg/15 lb. Cuire 2 minutes puis décompresser rapidement.

Enlever les légumes et le foie de l'autocuiseur, dresser sur des plats chauds et garder au chaud.

Malaxer le beurre et la farine pour former une pâte et porter le jus de cuisson à ébullition. Par petites cuillerées, incorporer la pâte au liquide et fouetter jusqu'à ce que la sauce soit épaisse et onctueuse. Saler et poivrer, napper le foie de sauce, garnir de persil et servir accompagné des légumes.

4 *personnes*
Niveau de pression: **6,8 kg/15 lb**
Préparation: **10 minutes**
Cuisson à découvert: **5 minutes**
Cuisson sous pression: **5 minutes**

550 g/1 ¼ lb de foie d'agneau, paré
2 c. à table d'huile
1 oignon moyen, pelé et tranché
2 gousses d'ail pelées et tranchées
250 ml/8 oz de bouillon d'agneau ou de légumes
50 ml/2 oz de marsala
1 c. à table de gelée de groseilles
675 g/1 ½ lb de pommes de terre pelées et coupées en morceaux
350 g/12 oz de bouquets de brocoli
1 c. à table de beurre mou
1 c. à table de farine blanche
Sel et poivre noir du moulin

GARNITURE
Brins de persil plat

ÉMINCÉ DE BŒUF À LA CRÈME

IL EXISTE DE NOMBREUSES VARIÉTÉS DE PIMENTS FORTS. J'AI CHOISI LE JALAPEÑO CAR C'EST LE PLUS FACILE À TROUVER MAIS VOUS POUVEZ LE REMPLACER PAR LE SERRANO OU UN AUTRE DE VOTRE CHOIX.

Parer le steak, le couper en fines lanières et réserver. Dans l'autocuiseur, chauffer 1 cuillerée à table d'huile et faire sauter les oignons, l'ail et le piment 3 minutes. Ajouter les champignons et le poivron et faire sauter 2 minutes de plus. Retirer les légumes du cuiseur à l'aide d'une écumoire et laisser en attente.

Ajouter le reste d'huile et les lanières de bœuf et cuire de 3 à 5 minutes ou jusqu'à ce que la viande soit saisie. Remettre les légumes sautés.

Délayer la moutarde et la pâte de tomate avec le bouillon et verser dans l'autocuiseur. Ajouter un peu de sel et de poivre et la muscade puis fermer le couvercle.

Amener à une pression de 6,8 kg/15 lb et cuire 8 minutes. Décompresser rapidement et rectifier l'assaisonnement. Incorporer la crème sure et le persil, bien mélanger et servir.

4 *personnes*
Niveau de pression: **6,8 kg/15 lb**
Préparation: **10 minutes**
Cuisson à découvert: **8 minutes**
Cuisson sous pression: **8 minutes**

450 g/1 lb de romsteck
2 c. à table d'huile
2 oignons rouges, pelés et
  coupés en quartiers
3 à 4 gousses d'ail pelées et
  écrasées
1 petit piment jalapeño rouge,
  épépiné et haché

100 g/4 oz de champignons
  sauvages assortis, brossés et
  tranchés s'ils sont gros
1 poivron rouge, épépiné et
  tranché
1 c. à thé de moutarde en poudre
1 c. à table de pâte de tomate
250 ml/8 oz de bouillon de bœuf
Sel et poivre noir du moulin
$1/4$ c. à thé de muscade
  fraîchement râpée
4 c. à table de crème sure
1 c. à table de persil plat frais
  haché

POT-AU-FEU ET BOULETTES DE CÂPRES

LORSQUE VOUS METTEZ DE LA VIANDE, DU POISSON OU TOUT AUTRE ALIMENT SUR LA GRILLE,
IL EST BON DE LA BADIGEONNER D'UN PEU D'HUILE. VOUS POUVEZ AUSSI PLACER LA NOURRITURE
SUR DU PAPIER CIRÉ; IL SERA ALORS PLUS FACILE DE LA RETIRER DE L'AUTOCUISEUR.

Dans l'autocuiseur, chauffer l'huile et faire dorer le rôti de tous côtés. Retirer de la marmite et la nettoyer. Placer la grille dans le cuiseur, y déposer le rôti et ajouter les feuilles de laurier et le mélange d'herbes.

Verser le bouillon, fermer le couvercle, amener à une pression de 6,8 kg/15 lb et cuire 30 minutes.

Pendant ce temps, mélanger la farine et la graisse de rognon, incorporer les câpres, le persil, le sel et le poivre. Ajouter 6 à 7 cuillerées à table d'eau froide jusqu'à l'obtention d'une pâte molle. Façonner 8 boulettes et réserver.

Décompresser la viande rapidement, ôter le couvercle, disposer les légumes autour du rôti et refermer le couvercle.

Amener de nouveau à une pression de 6,8 kg/15 lb et cuire 5 minutes. Décompresser rapidement et retirer les légumes et la viande. Dresser sur un plat de service chaud et garder au chaud. Placer les boulettes sur la grille et remettre le cuiseur sur le feu. Fermer le couvercle et, sans faire monter en pression, cuire 10 minutes ou jusqu'à ce que les boulettes soient gonflées et bien cuites. Retirer de l'autocuiseur et disposer avec la viande et les légumes.

Délayer la fécule de maïs dans 2 cuillerées à table d'eau puis incorporer au jus de cuisson. Cuire en remuant jusqu'à ce que la sauce épaississe et servir avec la viande, les légumes et les boulettes.

6 *personnes*
Niveau de pression: **6,8 kg/15 lb**
Préparation: **15 minutes**
Cuisson à découvert: **18 minutes**
Cuisson sous pression: **35 minutes**

1 c. à table d'huile
1 rôti de bœuf roulé de 1,5 kg/ 3 lb, dans le gîte à la noix par exemple
2 feuilles de laurier
2 c. à table de fines herbes fraîches, hachées
600 ml/1 pt de bouillon de bœuf chaud
2 carottes moyennes, pelées et coupées en tronçons
175 g/6 oz de navets pelés et coupés en morceaux
2 poireaux tranchés
225 g/8 oz de panais pelés et coupés en morceaux
300 g/10 oz de pommes de terre pelées et coupées en morceaux
175 g/6 oz de farine avec levure incorporée
75 g/3 oz de graisse de rognon de bœuf
2 c. à table de câpres égouttées et hachées
1 c. à table de persil frais haché
Sel et poivre noir du moulin
1 c. à table de fécule de maïs

FEUILLES DE VIGNE FARCIES

LORSQU'ON SE SERT DE FEUILLES DE VIGNE QUI ONT ÉTÉ CONSERVÉES DANS LA SAUMURE,
IL FAUT BIEN LES FAIRE TREMPER POUR LEUR ENLEVER CE GOÛT CARACTÉRISTIQUE.

Recouvrir les feuilles de vigne d'eau presque bouillante,
laisser tremper 20 minutes, bien égoutter et éponger avec
de l'essuie-tout.

Dans l'autocuiseur, chauffer l'huile et faire revenir les échalotes,
l'ail et l'agneau haché 5 minutes, ou jusqu'à ce que la viande soit
saisie. Retirer de la marmite, égoutter et mettre dans un bol.
Essuyer le fond du cuiseur.

Ajouter les abricots, les raisins secs, 1 cuillerée à table de zeste
d'orange, le sel, le poivre et la coriandre hachée. Bien mélanger.

Mettre 2 ou 3 feuilles de vigne sur une planche à découper et
déposer par-dessus une cuillerée de farce. Rouler et attacher avec
de la ficelle fine. Répéter l'opération jusqu'à ce qu'il ne reste plus
ni feuilles ni farce.

Délayer la pâte de tomate dans 300 ml/1/2 pt de bouillon et
verser dans le cuiseur. Placer la grille dans le cuiseur et y déposer
les feuilles de vigne farcies.

Tapisser le panier de papier d'aluminium. Mélanger le riz avec le
reste de zeste d'orange et le poivron haché et mettre dans le
panier. Mouiller avec le reste de bouillon et couvrir de papier
d'aluminium. Attacher solidement et poser sur les feuilles de vigne.

Fermer le couvercle et amener à une pression de 6,8 kg/15 lb.
Cuire 5 minutes puis décompresser rapidement. Dresser le riz
dans un plat chaud, garnir de feuilles de vigne, décorer de
coriandre et servir.

4 *personnes*
Niveau de pression: **6,8 kg/15 lb**
Préparation: **15 minutes, plus
  20 minutes de trempage**
Cuisson à découvert: **5 minutes**
Cuisson sous pression: **5 minutes**

Feuilles de vigne en conserve
(environ 20)
1 c. à table d'huile
3 échalotes pelées et hachées
  menu
2 gousses d'ail pelées et écrasées
300 g/10 oz d'agneau haché
50 g/2 oz d'abricots secs hachés

50 g/2 oz de raisins secs
2 c. à table de zeste d'orange
  râpé
Sel et poivre noir du moulin
1 c. à table de coriandre fraîche
  hachée
1 c. à table de pâte de tomate
750 ml/1 1/4 pt de bouillon
  d'agneau ou de légumes
225 g/8 oz de riz à grains longs
1 poivron rouge, épépiné et
  haché

GARNITURE
Brins de coriandre fraîche

PÂTÉ FERMIER

UNE CERTAINE QUANTITÉ DE JUS VA SORTIR DU PÂTÉ UNE FOIS QU'IL SERA CUIT, MAIS CE LIQUIDE
SERA RÉABSORBÉ PAR LA VIANDE EN REFROIDISSANT ET LUI PERMETTRA DE RESTER MOELLEUSE.

8 *personnes*

Niveau de pression: **6,8 kg/15 lb**

Préparation: **25 minutes plus réfrigération**
  jusqu'au lendemain

Cuisson sous pression: **25 minutes**

8 tranches de bacon entrelardé, découenné

4 échalotes pelées et hachées

4 gousses d'ail pelées et écrasées

100 g/4 oz de foie d'agneau ou de bœuf, haché

225 g/8 oz de porc haché

100 g/4 oz de chair à saucisse

2 c. à table de fines herbes fraîches, hachées

Sel et poivre noir du moulin

$^1/_4$ c. à thé de muscade fraîchement râpée

2 c. à table de brandy

1 c. à table de jus de citron

ACCOMPAGNEMENT

Salade et pain croustillant

Foncer un plat allant au four, d'une contenance de 750 ml/1 $^1/_4$ pt, avec quelques tranches de bacon et réserver les autres. Dans un bol, malaxer ensemble les échalotes, l'ail, le foie d'agneau et le porc hachés et la chair à saucisse. Ajouter les fines herbes, le sel, le poivre et la muscade puis incorporer le brandy. Déposer la préparation dans le plat et recouvrir avec le reste de bacon. Couvrir d'une double épaisseur de papier ciré et attacher solidement.

Placer le support dans l'autocuiseur et ajouter 450 ml/$^3/_4$ pt d'eau et le jus de citron. Poser le plat sur le support, fermer le couvercle et amener à une pression de 6,8 kg/15 lb. Cuire 25 minutes, décompresser rapidement et retirer le pâté. Couvrir de papier ciré, laisser refroidir puis mettre au réfrigérateur jusqu'au lendemain en pressant à l'aide d'un poids. Démouler et servir avec une salade et du pain croustillant.

JAMBON AU GINGEMBRE ET À L'ORANGE

CE SUCCULENT JAMBON, TENDRE À SOUHAIT, CONVIENT AUSSI BIEN À UN DÎNER ENTRE AMIS QU'À UN REPAS DE FAMILLE.

6 à 8 *personnes*

Niveau de pression: **6,8 kg/15 lb**

Préparation: **10 minutes**

Cuisson à découvert: **10 minutes, plus**
  5 minutes de refroidissement

Cuisson sous pression: **24 minutes**

Cuisson au four: **15 minutes**

1 jambon fumé de 1,5 kg/3 lb

1 morceau de gingembre frais de
  7,5 cm/3 po, coupé en lamelles

1 oignon pelé et coupé en quartiers

1 carotte pelée et coupée en tronçons

Environ 26 clous de girofle

1 écorce entière d'orange

3 c. à table de cassonade

1 c. à thé de gingembre en poudre

300 ml/$^1/_2$ pt de jus d'orange

2 c. à table de sauce soja

1 c. à table de fécule de maïs

2 c. à thé de zeste d'orange râpé

Poivre noir du moulin

GARNITURE

Quartiers d'orange et brins de persil

ACCOMPAGNEMENT

Légumes fraîchement cuits

Mettre le jambon dans l'autocuiseur et remplir d'eau à moitié. Ajouter le gingembre frais, l'oignon, la carotte, environ 6 clous de girofle et l'écorce d'orange. Fermer le couvercle et amener à une pression de 6,8 kg/15 lb.

Cuire 24 minutes, décompresser rapidement et retirer la viande. Réserver 150 ml/$^1/_4$ pt du jus de cuisson. Laisser refroidir un peu, enlever la peau et faire des croisillons dans le gras du jambon. Piquer le gras entaillé de clous de girofle.

Préchauffer le four à 200 °C/400 °F. Mettre la viande dans une rôtissoire. Mêler la cassonade et le gingembre en poudre et presser ce mélange sur le gras entaillé. Mouiller avec le jus d'orange, le jus de cuisson réservé et la sauce soja. Cuire au four 15 minutes ou jusqu'à ce que le dessus soit croustillant, en arrosant la viande à quelques reprises. Une fois cuit, enlever le jambon de la rôtissoire et garder au chaud.

Transvaser le jus de cuisson dans une casserole et porter à ébullition. Délayer la fécule de maïs dans 1 cuillerée à table d'eau et incorporer au liquide bouillonnant. Mélanger jusqu'à ce que la sauce épaississe un peu. Ajouter le zeste d'orange râpé et le poivre et servir avec la viande, décoré d'orange et de persil et accompagné de légumes.

OLIVETTES DE BŒUF

SI VOUS N'AVEZ PAS DE MAILLET À VIANDE, VOUS POUVEZ VOUS SERVIR D'UN ROULEAU À PÂTISSERIE. PLACEZ LES STEAKS ENTRE 2 FEUILLES DE PAPIER CIRÉ POUR QU'ILS NE SE DÉCHIRENT PAS LORSQUE VOUS LES ÉCRASEZ.

Placer les steaks entre 2 feuilles de papier ciré et les écraser à l'aide d'un maillet jusqu'à ce qu'ils aient 6 mm/$1/4$ po d'épaisseur. Réserver.

Dans l'autocuiseur, chauffer 1 cuillerée à table d'huile et faire sauter les échalotes et l'ail 3 minutes. Joindre les champignons et faire sauter 2 minutes de plus ou jusqu'à ce que les champignons flétrissent. Ôter du feu et ajouter la chapelure, le zeste d'orange, le thym, les pignons, le sel et le poivre. Incorporer l'œuf battu et bien malaxer jusqu'à consistance ferme. Répartir sur les quatre steaks, rouler et attacher à l'aide de ficelle fine.

Essuyer le cuiseur, chauffer le reste d'huile et faire dorer les rouleaux de bœuf de tous les côtés. Retirer de la marmite, enlever le surplus de graisse puis remettre les rouleaux de bœuf et mouiller avec le vin rouge et 150 ml/$1/4$ pt d'eau.

Fermer le couvercle, amener à une pression de 6,8 kg/15 lb et cuire 15 minutes. Décompresser rapidement, dresser les olivettes de bœuf sur un plat de service chaud et garder au chaud.

Malaxer le beurre et la farine pour former une pâte. Ajouter 150 ml/$1/4$ pt d'eau au jus de cuisson, porter à ébullition et incorporer la pâte par petites cuillerées dans le liquide bouillonnant. Cuire en fouettant sans arrêt jusqu'à ce que se forme une sauce homogène, glacée et un peu épaisse. Incorporer à la sauce la gelée de vin rouge ou de groseilles, rectifier l'assaisonnement, décorer de zeste d'orange et servir avec les olivettes de bœuf et des légumes fraîchement cuits.

4 *personnes*
Niveau de pression: **6,8 kg/15 lb**
Préparation: **15 minutes**
Cuisson à découvert: **10 minutes**
Cuisson sous pression: **15 minutes**

4 tranches minces de steak, dans le gîte à la noix ou le romsteck
2 c. à table d'huile
3 échalotes pelées et hachées
2 gousses d'ail pelées et écrasées
75 g/3 oz de champignons essuyés et hachés
50 g/2 oz de chapelure blanche fraîche
1 c. à table de zeste d'orange râpé
1 c. à table de thym frais haché
3 c. à table de pignons
Sel et poivre noir du moulin
1 petit œuf battu
300 ml/$1/2$ pt de vin rouge
300 ml/$1/2$ pt d'eau
1 c. à table de beurre mou
1 c. à table de farine blanche
3 à 4 c. à thé de gelée de vin rouge ou de groseilles

GARNITURE
Zeste d'orange

ACCOMPAGNEMENT
Légumes fraîchement cuits

ÉTUVÉE D'AGNEAU À L'AUBERGINE

LE BOULGHOUR EST UNE VARIÉTÉ DE BLÉ CONCASSÉ TRÈS EMPLOYÉE AU MOYEN-ORIENT.
SON UTILISATION LA PLUS COURANTE EST DANS LE TABOULÉ, UNE SALADE LIBANAISE.

Parer l'agneau, le couper en petits dés et réserver. Dans l'autocuiseur, chauffer 1 cuillerée à table d'huile et faire revenir la viande 5 minutes ou jusqu'à ce qu'elle soit saisie. À l'aide d'une écumoire, enlever l'agneau de la marmite et réserver.

Verser le reste d'huile dans le cuiseur, ajouter les oignons, l'ail, l'aubergine et le poivron et faire sauter 1 minute.

Remettre l'agneau ainsi que les tomates broyées avec leur jus, le bouillon, le sel et le poivre. Fermer le couvercle, amener à une pression de 6,8 kg/15 lb et cuire 10 minutes.

Pendant ce temps, tapisser le panier de papier d'aluminium et y déposer le boulghour mélangé aux raisins secs, pignons et zeste de citron. Mouiller avec 450 ml/3/4 pt d'eau, couvrir de papier ciré et bien attacher.

Décompresser rapidement, poser le panier sur l'agneau, refermer le couvercle, ramener à la même pression et cuire 5 minutes.

Décompresser lentement et retirer le boulghour et la viande. Égrener le boulghour à la fourchette et dresser sur un plat chaud avec l'agneau. Saupoudrer de coriandre hachée et servir.

4 *personnes*
Niveau de pression: **6,8 kg/15 lb**
Préparation: **10 minutes**
Cuisson à découvert: **6 minutes**
Cuisson sous pression: **15 minutes**

450 g/1 lb de filet d'agneau
2 c. à table d'huile
2 oignons moyens, pelés et coupés
en quartiers
4 gousses d'ail pelées et hachées
1 aubergine coupée en cubes
1 poivron orange, épépiné et haché
400 g/14 oz de tomates broyées
en conserve
150 ml/1/4 pt de bouillon d'agneau
ou de légumes
Sel et poivre noir du moulin
100 g/4 oz de boulghour
50 g/2 oz de raisins secs
3 c. à table de pignons
1 c. à table de zeste de citron râpé

GARNITURE
2 c. à table de coriandre fraîche hachée

AGNEAU ET PÂTES À L'ITALIENNE

LE FENOUIL EST UNE PLANTE BULBEUSE ORIGINAIRE D'EUROPE, AU GOÛT ANISÉ, QUI SE CONSOMME CRU OU CUIT.

Recouvrir les champignons séchés d'eau presque bouillante, laisser tremper 20 minutes puis égoutter en récupérant l'eau de trempage.

Dans l'autocuiseur, chauffer 1 cuillerée à table d'huile et faire dorer les jarrets sur toutes leurs faces (on peut procéder en deux fois). Sortir la viande du cuiseur et ajouter le reste d'huile. Faire sauter l'ail, les tomates séchées, l'oignon, le fenouil et les champignons 5 minutes, ou jusqu'à ce que l'oignon ait ramolli. Enlever le tout de la marmite et réserver. Verser le coulis de tomates et le vin rouge et remuer soigneusement afin de décoller les résidus qui ont adhéré au fond du cuiseur.

Placer la grille dans l'autocuiseur et y déposer les jarrets d'agneau. Disposer le mélange d'oignon et de champignons par-dessus la viande et ajouter l'origan haché, le sel et le poivre. Fermer le couvercle, amener à une pression de 6,8 kg/15 lb et cuire 20 minutes.

Décompresser rapidement et enlever le couvercle. Retirer l'agneau et les légumes et les garder au chaud. Mettre les pâtes dans le panier tapissé de papier d'aluminium, ajouter 600 ml/ 1 pt d'eau bouillante, couvrir de papier d'aluminium et attacher avec de la ficelle fine. Placer sur le support. Fermer le couvercle et ramener à la même pression. Cuire 5 minutes puis décompresser rapidement.

Égoutter les pâtes, les dresser avec l'agneau, les légumes et la sauce sur un plat chaud et garnir de brins d'origan frais.

4 *personnes*
Niveau de pression: **6,8 kg/15 lb**
Préparation: **10 minutes, plus 20 minutes de trempage**
Cuisson à découvert: **10 minutes**
Cuisson sous pression: **25 minutes**

15 g/1/2 oz de champignons séchés

2 c. à table d'huile

2 jarrets d'agneau de 225 g/8 oz

4 gousses d'ail pelées et écrasées

25 g/1 oz de tomates séchées au soleil, hachées

1 oignon moyen, pelé et coupé en quartiers

1 bulbe de fenouil tranché

100 g/4 oz de petits champignons blancs essuyés

300 ml/1/2 pt de coulis de tomates

300 ml/1/2 pt de vin rouge

1 c. à table d'origan frais haché

Sel et poivre noir du moulin

225 g/8 oz de pâtes de fantaisie sèches

GARNITURE
Brins d'origan frais

PAIN DE VIANDE AUX HERBES

VOUS POUVEZ UTILISER DE LA VIANDE HACHÉE DE BŒUF, D'AGNEAU, DE PORC OU DE POULET; DANS TOUS LES CAS, IL VAUT MIEUX ACHETER LA MEILLEURE QUE VOUS PERMET VOTRE BUDGET. LA VIANDE HACHÉE DE MOINS BONNE QUALITÉ CONTIENT BEAUCOUP DE GRAS ET VOUS OBTIENDREZ UN PAIN DE VIANDE BEAUCOUP PLUS PETIT.

Mettre le bœuf haché, la chair à saucisse, l'oignon, l'ail, les herbes et la chapelure dans un bol et bien malaxer. Délayer la pâte de tomate avec la sauce au raifort et l'assaisonnement et incorporer au mélange de viande. Ajouter ensuite l'œuf et suffisamment de brandy pour lier la préparation.

Mettre dans un récipient allant au four, d'une contenance de 900 ml/1 1/2 pt, et presser légèrement. Couvrir d'une double épaisseur de papier ciré.

Placer le support et ajouter 600 ml/1 pt d'eau et 2 cuillerées à table de jus de citron. Déposer le récipient sur le support et fermer le couvercle. Amener à une pression de 6,8 kg/15 lb et cuire 20 minutes. Décompresser rapidement, ôter le papier ciré et servir aussitôt décoré de fines herbes et accompagné de sauce au jus de viande et de légumes fraîchement cuits.

8 *personnes*
Niveau de pression: **6,8 kg/15 lb**
Préparation: **10 minutes**
Cuisson sous pression: **20 minutes**

450 g/1 lb de bœuf haché
100 g/4 oz de chair à saucisse
1 oignon moyen, pelé et haché menu
2 gousses d'ail pelées et écrasées
2 c. à table de fines herbes fraîches, hachées
50 g/2 oz de chapelure blanche fraîche
2 c. à table de pâte de tomate
1 c. à table de sauce au raifort piquante
Sel et poivre noir du moulin
1 œuf moyen
2 à 3 c. à table de brandy
2 c. à table de jus de citron

GARNITURE
Fines herbes fraîches

ACCOMPAGNEMENT
Sauce au jus de viande et légumes fraîchement cuits

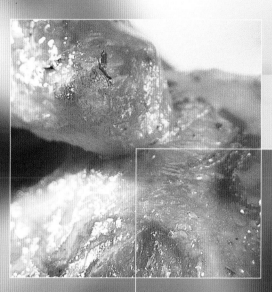

VOLAILLES

POULET CHASSEUR

SI UN VIN N'EST PAS BON À BOIRE, IL Y A PEU DE CHANCES QU'IL LE SOIT POUR FAIRE LA CUISINE.
AUTANT QUE POSSIBLE, PRENEZ DU BON VIN OU LE RÉSULTAT RISQUE D'EN PÂTIR.

Dans l'autocuiseur, chauffer l'huile et faire dorer légèrement les oignons et le bacon. Les retirer. Saisir les morceaux de poulet dans l'huile restée dans la marmite, les sortir et les égoutter.

Remettre les oignons, le bacon et le poulet dans le cuiseur et ajouter les champignons et les tomates. Délayer la pâte de tomate dans le vin et le bouillon et verser sur le poulet. Fermer le couvercle, amener à une pression de 6,8 kg/15 lb et cuire 5 minutes.

Décompresser rapidement, retirer le poulet et les légumes et garder au chaud. Malaxer la farine et le beurre pour former une pâte. Porter le jus de cuisson à ébullition et incorporer la pâte par petites quantités. Cuire jusqu'à ce que la sauce soit épaisse et onctueuse. Saler et poivrer. Napper le poulet et les oignons de sauce, parsemer de persil et servir accompagné de purée ainsi que d'une salade verte ou de légumes fraîchement cuits.

4 *personnes*
Niveau de pression: **6,8 kg/15 lb**
Préparation: **12 minutes**
Cuisson à découvert: **5 minutes**
Cuisson sous pression: **5 minutes**

2 c. à table d'huile
8 petits oignons pelés
50 g/2 oz de bacon entrelardé haché
4 morceaux de poulet, désossés et sans peau
225 g/8 oz de gros agarics champêtres, brossés et tranchés
8 tomates cerises coupées en deux

2 c. à table de pâte de tomate
300 ml/¹/₂ pt de vin rouge
150 ml/¹/₄ pt de bouillon de poulet
1 c. à table de farine blanche
1 c. à table de beurre mou
Sel et poivre noir du moulin

GARNITURE
1 c. à table de persil frais haché

ACCOMPAGNEMENT
Purée de pommes de terre et salade verte ou légumes

COQ AU VIN

CE CLASSIQUE DE LA CUISINE FRANÇAISE SE PRÉPARE À MERVEILLE DANS UN AUTOCUISEUR. POUR UNE SAVEUR ENCORE PLUS PRONONCÉE, ON FAIT D'ABORD MARINER LES MORCEAUX DE POULET DANS LE VIN ROUGE ET LE BRANDY PENDANT 2 À 3 HEURES.

Dans l'autocuiseur, chauffer l'huile et faire dorer les morceaux de poulet de tous côtés. Enlever de la marmite et réserver. Ajouter les échalotes, l'ail et le bacon et faire sauter 3 minutes puis ajouter les champignons et faire sauter 1 minute de plus.

Remettre les morceaux de poulet dans le cuiseur, mouiller avec le vin rouge et le bouillon, saler et poivrer.

Fermer le couvercle, amener à une pression de 6,8 kg/15 lb et cuire 5 minutes. Décompresser rapidement et retirer le couvercle. Verser le brandy et mélanger.

Placer le support dans l'autocuiseur. Mettre les pommes de terre dans le panier, poser sur le support et fermer le couvercle.

Ramener à une pression de 6,8 kg/15 lb, cuire 4 minutes puis décompresser rapidement. Ôter le couvercle et le panier, dresser les pommes de terre sur un plat chaud et garder au chaud. Retirer le poulet, les échalotes et les champignons du cuiseur, les disposer sur un plat chaud et garder au chaud.

Malaxer le beurre et la farine pour former une pâte homogène. Porter le jus de cuisson à ébullition et incorporer la pâte par petites cuillerées. Fouetter jusqu'à obtenir une sauce épaisse et onctueuse. Rectifier l'assaisonnement, incorporer la crème 35 % ou la crème sure ainsi que le persil. Napper le poulet et les échalotes de sauce et servir.

4 *personnes*
Niveau de pression: **6,8 kg/15 lb**
Préparation: **10 minutes**
Cuisson à découvert: **10 minutes**
Cuisson sous pression: **9 minutes**

1 c. à table d'huile
4 morceaux de poulet de
   175 g/6 oz
8 échalotes pelées
4 à 6 gousses d'ail pelées et
   tranchées
8 tranches de bacon coupées en
   petits dés
100 g/4 oz de petits champignons
   blancs essuyés
300 ml/^{1}/$_2$ pt de vin rouge
150 ml/^{1}/$_4$ pt de bouillon de poulet
Sel et poivre noir du moulin
3 c. à table de brandy
350 g/12 oz de pommes de terre
   grelots
1 c. à table de beurre mou
1 c. à table de farine blanche
2 c. à table de crème 35 %
   ou de crème sure
1 c. à table de persil frais haché

BLANCS DE POULET FARCIS
AUX AMANDES ET AUX PACANES

DANS CETTE SUCCULENTE RECETTE, LES SAVEURS CLASSIQUES DES AGRUMES ET DES HERBES SE
CONJUGUENT AU POULET ET AUX NOIX POUR DONNER UN PLAT À LA FOIS SAIN ET NOURRISSANT.

Éponger les blancs de poulet et, à l'aide d'un couteau bien aiguisé, faire une entaille le long du morceau de viande de manière à former une pochette. Éponger de nouveau avec de l'essuie-tout et réserver.

Mélanger les oignons verts, les amandes moulues, la chapelure, les pacanes, le zeste de citron, l'estragon, le sel et le poivre et lier avec l'œuf battu et suffisamment de jus d'orange pour obtenir une farce moelleuse mais pas détrempée. Farcir les blancs de poulet et presser fermement les bords.

Dans l'autocuiseur, chauffer le beurre et l'huile et faire dorer le poulet de tous les côtés. Verser le reste de jus d'orange et le miel et fermer le couvercle. Amener à une pression de 6,8 kg/15 lb et cuire 5 minutes. Décompresser rapidement, retirer le poulet et le garder au chaud. Passer le jus de cuisson au-dessus d'une casserole et porter à ébullition. Délayer la fécule de maïs dans 1 cuillerée à table d'eau et l'ajouter au jus. Cuire en remuant jusqu'à ce que la sauce épaississe un peu. Napper le poulet et garnir de brins d'estragon et de quartiers d'orange. Servir accompagné d'une salade verte ou de légumes fraîchement cuits ainsi que de pommes de terre nouvelles ou de nouilles.

4 *personnes*
Niveau de pression: **6,8 kg/15 lb**
Préparation: **10 minutes**
Cuisson à découvert: **5 minutes**
Cuisson sous pression: **5 minutes**

4 blancs de poulet
6 oignons verts hachés
50 g/2 oz d'amandes moulues
**25 g/1 oz de chapelure blanche
fraîche**
50 g/2 oz de pacanes hachées
**1 c. à table de zeste de citron
.râpé**
**1 c. à table d'estragon frais
haché**

Sel et poivre noir du moulin
1 œuf moyen battu
300 ml/¹/₂ pt de jus d'orange
1 c. à table de beurre
1 c. à table d'huile
2 c. à thé de miel
1 c. à table de fécule de maïs

GARNITURE
**Brins d'estragon frais et
quartiers d'orange**

ACCOMPAGNEMENT
**Salade verte ou légumes
fraîchement cuits et pommes
de terre nouvelles ou nouilles**

DINDE À L'ESTRAGON

L'ESTRAGON EST UNE HERBE AROMATIQUE QUI SE
MARIE TRÈS BIEN AVEC LA VOLAILLE ET LE POISSON.

4 *personnes*
Niveau de pression: **6,8 kg/15 lb**
Préparation: **5 minutes**
Cuisson à découvert: **5 à 6 minutes**
Cuisson sous pression: **7 minutes**

2 c. à table d'huile
450 g/1 lb de cuisse de dinde
    désossée, sans peau et
    coupée en dés
2 oignons moyens, pelés et
    tranchés
1 bulbe de fenouil tranché
2 grosses carottes pelées et
    coupées en demi-rondelles
150 ml/1/4 pt de vin blanc sec

300 ml/1/2 pt de bouillon de
    dinde ou de poulet
2 c. à table d'estragon frais
    haché
1 c. à table de zeste d'orange
    râpé
Sel et poivre noir du moulin
1 c. à table de fécule de maïs

GARNITURE
Zeste et quartiers d'orange et
    brins d'estragon

ACCOMPAGNEMENT
Pommes de terre nouvelles,
    pois mange-tout et brocoli

Dans l'autocuiseur, chauffer 1 cuillerée à table d'huile et saisir les
dés de dinde. À l'aide d'une écumoire, retirer la viande et réserver.
Ajouter le reste d'huile et faire sauter les oignons, le fenouil et les
carottes 5 minutes.

Remettre la dinde dans le cuiseur, ajouter le vin, le bouillon,
l'estragon, le zeste d'orange, le sel et le poivre. Fermer le couvercle
et amener à une pression de 6,8 kg/15 lb. Cuire 7 minutes et
décompresser rapidement. À l'aide d'une écumoire, retirer la dinde
et les légumes et garder au chaud.

Porter le jus de cuisson à ébullition. Délayer la fécule de maïs dans
1 cuillerée à table d'eau. Incorporer à la sauce et cuire en remuant
jusqu'à épaississement. Rectifier l'assaisonnement, napper la dinde
de sauce, garnir de zeste et de quartiers d'orange et d'estragon et
servir avec des pommes de terre nouvelles, des pois mange-tout et
du brocoli.

POULET À LA CORIANDRE

LA DOUCEUR DU LAIT DE COCO ATTÉNUE
LA SAVEUR ÉPICÉE DE CE PLAT.

4 *personnes*
Niveau de pression: **6,8 kg/15 lb**
Préparation: **10 minutes**
Cuisson à découvert: **8 minutes**
Cuisson sous pression: **10 minutes**

2 c. à table d'huile
4 morceaux de poulet de
    225 g/8 oz, bien décongelés
    au besoin
1 oignon moyen, pelé et coupé
    en quartiers
4 gousses d'ail pelées et
    hachées
1 c. à table de pâte de curry
    douce

4 tomates moyennes, pelées,
    épépinées et hachées
300 ml/1/2 pt de lait de coco
150 ml/1/4 pt de bouillon de
    poulet
300 g/10 oz de patates douces
    pelées et coupées en dés
1 poivron vert, épépiné et
    haché
225 g/8 oz de haricots verts
    coupés en deux
Sel
1 c. à thé de paprika
1 c. à table de fécule de maïs
2 c. à table de coriandre
    fraîche hachée

Dans l'autocuiseur, chauffer 1 cuillerée à table d'huile et faire dorer
les morceaux de poulet de tous les côtés. Retirer de la marmite et
réserver. Ajouter le reste d'huile, l'oignon et l'ail et faire revenir
1 minute. Ajouter la pâte de curry et cuire en remuant, 2 minutes.
Joindre les tomates hachées, le lait de coco, le bouillon, les dés de
patate douce et le poulet réservé et fermer le couvercle. Amener à
une pression de 6,8 kg/15 lb, cuire 8 minutes puis décompresser
rapidement.

Ôter le couvercle, ajouter le poivron et les haricots verts, fermer le
couvercle et ramener à une pression de 6,8 kg/15 lb. Cuire
2 minutes, décompresser rapidement et retirer les morceaux de
poulet et les légumes.

Ajouter le sel et le paprika au liquide de cuisson. Délayer la fécule de
maïs dans 1 cuillerée à table d'eau et verser dans le cuiseur. Cuire
en remuant jusqu'à ce que la sauce épaississe, ajouter la coriandre
hachée, napper le poulet et servir.

TAJINE DE POULET AUX GOMBOS ET AU FENOUIL

ORIGINAIRE D'AFRIQUE, LE GOMBO EST UNE PLANTE ANNUELLE DE LA FAMILLE DU COTON, TRÈS EMPLOYÉE DANS LA CUISINE CRÉOLE, NOTAMMENT DANS LA SOUPE DU MÊME NOM.

Dans l'autocuiseur, chauffer 1 cuillerée à table d'huile et faire revenir le poulet 5 minutes, ou jusqu'à ce qu'il soit bien saisi et doré. À l'aide d'une écumoire, le retirer de la marmite et laisser en attente.

Ajouter le reste d'huile et faire sauter l'oignon, l'ail, le gingembre, le piment et le fenouil, 2 minutes. Remettre le poulet dans le cuiseur ainsi que le safran, les tomates, la courgette, les gombos, les abricots et les bâtonnets de cannelle.

Mouiller avec le bouillon, saler et poivrer, fermer le couvercle et amener à une pression de 6,8 kg/15 lb. Cuire 3 minutes puis décompresser rapidement. Ôter les bâtonnets de cannelle et servir décoré d'olives et de persil et accompagné de pommes de terre, de boulghour parfumé à la cannelle ou de couscous frais cuits ainsi que d'une salade.

4 *personnes*
Niveau de pression: **6,8 kg/15 lb**
Préparation: **15 minutes**
Cuisson à découvert: **8 minutes**
Cuisson sous pression: **3 minutes**

2 c. à table d'huile
450 g/1 lb de poulet frais, désossé et sans peau, coupé en dés
1 oignon moyen, pelé et tranché
3 gousses d'ail pelées et tranchées
1 petit morceau de gingembre frais, pelé et râpé
1 petit piment jalapeño épépiné et haché
1 bulbe de fenouil haché
Quelques filaments de safran
3 tomates moyennes, épépinées et hachées
1 grosse courgette hachée
225 g/8 oz de gombos, coupés en deux s'ils sont gros
75 g/3 oz d'abricots secs hachés
2 bâtonnets de cannelle un peu écrasés
300 ml/1/2 pt de bouillon de poulet
Sel et poivre noir du moulin

GARNITURE
Quelques olives noires et persil plat

ACCOMPAGNEMENT
Pommes de terre, boulghour parfumé à la cannelle ou couscous et salade

POUSSINS AUX KUMQUATS

LES KUMQUATS SONT DE MINUSCULES ORANGES UN PEU AMÈRES QUI SE MANGENT ENTIÈRES.
ON PEUT LES REMPLACER PAR 1 OU 2 ORANGES NORMALES OU, SI ON EN TROUVE,
DES ORANGES SANGUINES.

Couper les poussins en deux, rincer et éponger. Dans l'autocuiseur, chauffer l'huile et saisir les poussins sur toutes leurs faces. Retirer de la marmite et l'essuyer.

Remettre les poussins dans le cuiseur ainsi que les gousses d'ail non épluchées, les feuilles de laurier, le bouillon et le jus d'orange. Arroser avec le vinaigre et la sauce soja et saupoudrer le zeste d'orange, la cassonade, l'estragon et un peu de sel et de poivre. Couper les kumquats en deux, les mettre dans le cuiseur et fermer le couvercle.

Amener à une pression de 6,8 kg/15 lb et cuire 10 minutes. Décompresser rapidement, retirer les poussins et les kumquats du cuiseur et les dresser sur un plat chaud. Passer le jus de cuisson, le remettre dans la marmite et porter à ébullition. Délayer la fécule de maïs dans 1 cuillerée à table d'eau et l'incorporer au liquide bouillant. Cuire en tournant jusqu'à ce que la sauce épaississe. Rectifier l'assaisonnement, garnir d'estragon et de kumquats et servir accompagné de sauce et de légumes fraîchement cuits.

4 *personnes*
Niveau de pression: **6,8 kg/15 lb**
Préparation: **5 minutes**
Cuisson à découvert: **5 minutes**
Cuisson sous pression: **10 minutes**

2 gros poussins (ou poulets de Cornouailles)
2 c. à table d'huile
10 gousses d'ail non épluchées
2 feuilles de laurier
300 ml/^{1}/$_2$ pt de bouillon de poulet
150 ml/^{1}/$_4$ pt de jus d'orange
1 c. à table de zeste d'orange râpé
2 c. à table de vinaigre de vin blanc
1 c. à table de cassonade dorée
2 c. à table de sauce soja foncée
1 c. à table d'estragon frais haché
Sel et poivre noir du moulin
12 kumquats
1 c. à table de fécule de maïs

GARNITURE
Brins d'estragon frais et kumquats supplémentaires

ACCOMPAGNEMENT
Légumes fraîchement cuits

DINDE CAJUN

DE TOUTES LES VIANDES, LA DINDE EST CELLE QUI CONTIENT LE MOINS DE GRAS; ELLE EST DONC LE CHOIX IDÉAL POUR CEUX QUI SURVEILLENT LEUR ALIMENTATION. EN OUTRE, CETTE VIANDE S'ACCORDE BIEN AVEC UNE MULTITUDE DE SAVEURS.

Parer la dinde, la couper en dés, mettre dans un plat peu profond et parsemer l'oignon haché, l'ail, le chili séché broyé et les graines de cardamome. Bien mélanger les épices et le zeste de citron avec la mélasse, le ketchup et le jus de citron, puis verser sur la dinde. Couvrir sans serrer et laisser macérer au réfrigérateur au minimum 30 minutes, si possible jusqu'au lendemain. Remuer de temps à autre la marinade.

Chauffer l'huile dans l'autocuiseur, égoutter la dinde et la saisir de tous les côtés. Mélanger la moitié de la marinade avec 300 ml/$1/2$ pt de bouillon et verser sur la dinde.

Placer le support par-dessus la dinde et tapisser le panier de papier d'aluminium. Mettre les pâtes dans le panier et mouiller avec le reste de bouillon. Couvrir d'une double épaisseur de papier ciré et poser sur le support.

Fermer le couvercle, amener à une pression de 6,8 kg/15 lb et cuire 5 minutes. Décompresser rapidement, retirer les pâtes et les égoutter au besoin.

Délayer la fécule de maïs dans 1 cuillerée à table d'eau et incorporer au jus de cuisson. Faire bouillir et cuire en remuant jusqu'à ce que la sauce épaississe. Incorporer la coriandre hachée aux pâtes et servir avec la dinde.

4 *personnes*
Niveau de pression: **6,8 kg/15 lb**
Préparation: **15 minutes**, plus **30 minutes de macération**
Cuisson à découvert: **3 minutes**
Cuisson sous pression: **5 minutes**

450 g/1 lb de blanc de dinde frais
1 oignon moyen, pelé et haché
4 gousses d'ail pelées et écrasées
$1/2$ à 1 c. à thé de chili séché broyé
5 graines de cardamome un peu écrasées
1 c. à thé de coriandre moulue
$1/2$ c. à thé d'épices mélangées
1 c. à thé de paprika
1 c. à table de zeste de citron râpé
2 c. à thé de mélasse claire, chauffée
4 c. à table de ketchup
2 c. à table de jus de citron
1 c. à table d'huile
680 ml/1 $1/4$ pt de bouillon de dinde ou de poulet, chaud
150 g/6 oz de pâtes de fantaisie sèches
1 c. à table de fécule de maïs
2 c. à table de coriandre fraîche hachée

RÔTI DE DINDE FARCI AUX ABRICOTS ET AUX CANNEBERGES

UN PETIT RÔTI DE DINDE FAIT UN EXCELLENT REPAS, VITE APPRÊTÉ DE SURCROÎT SI L'ON SE SERT D'UN AUTOCUISEUR.

Éponger le rôti et faire deux entailles profondes sur toute sa longueur pour former deux poches. Réserver.

Dans l'autocuiseur, chauffer 1 cuillerée à table d'huile et faire sauter les échalotes, l'ail et les champignons 5 minutes. Mettre dans un bol et essuyer la marmite.

Ajouter aux échalotes les abricots, la sauce aux canneberges, le zeste d'orange, la chapelure, le persil, le sel et le poivre et malaxer, avec l'œuf et le jus d'orange, jusqu'à consistance ferme. Farcir les poches du rôti. Pincer ensemble les bords et, éventuellement, attacher à l'aide d'une ficelle fine.

Dans le cuiseur, chauffer le reste d'huile, saisir le rôti sur toutes ses faces et le recouvrir avec le bacon. Verser le bouillon et le vin et ajouter la gelée de groseilles. Fermer le couvercle, amener à une pression de 6,8 kg/15 lb et cuire 15 minutes. Décompresser rapidement, retirer le rôti et garder au chaud.

Amener le jus de cuisson à ébullition, cuire en remuant jusqu'à ce que la sauce épaississe puis passer au-dessus d'une saucière. Garnir le rôti de canneberges et d'abricots frais et servir accompagné de la sauce, de pommes de terre et de légumes fraîchement cuits.

4 à 6 *personnes*
Niveau de pression: 6,8 kg/15 lb
Préparation: **10 minutes**
Cuisson à découvert: **5 minutes**
Cuisson sous pression: **15 minutes**

- 1 rôti de poitrine de dinde
- 2 c. à table d'huile
- 4 échalotes pelées et hachées
- 2 gousses d'ail pelées et écrasées
- 75 g/3 oz de petits champignons blancs, essuyés et hachés
- 75 g/3 oz d'abricots secs hachés
- 2 c. à table de sauce aux canneberges
- 1 c. à table de zeste d'orange râpé
- 75 g/3 oz de chapelure blanche fraîche
- 2 c. à table de persil frais haché
- Sel et poivre noir du moulin
- 1 œuf moyen battu
- 1 à 2 c. à table de jus d'orange
- 8 à 10 tranches de bacon entrelardé
- 150 ml/$1/4$ pt de bouillon de dinde ou de poulet
- 300 ml/$1/2$ pt de vin rosé ou blanc
- 1 c. à table de gelée de groseilles

GARNITURE
Canneberges et abricots, frais

ACCOMPAGNEMENT
Pommes de terre et légumes, fraîchement cuits

FAISAN AU CHOU ROUGE

LE CHOU ROUGE ET LA POMME REHAUSSENT PARFAITEMENT LE FAISAN DANS CE PLAT.

Éponger les morceaux de faisan. Dans l'autocuiseur, chauffer l'huile et faire dorer la volaille (ce qui prend environ 5 minutes). Retirer du cuiseur et essuyer celui-ci.

Rincer abondamment le chou rouge à l'eau froide et bien l'égoutter. Mettre dans un bol avec l'oignon, la pomme, la cassonade, l'aneth, le sel et le poivre. Bien mélanger et arroser avec le vinaigre balsamique.

Mettre les morceaux de faisan dans l'autocuiseur et verser le bouillon. Placer le support sur la viande, mettre le chou dans le panier et le poser sur le support. Fermer le couvercle et amener à une pression de 6,8 kg/15 lb. Cuire 10 minutes puis décompresser rapidement. Sortir la volaille et le chou de l'autocuiseur et les tenir au chaud.

Malaxer le beurre et la farine pour former une pâte. Porter à ébullition le jus de cuisson et y incorporer la pâte par petites cuillerées. Tourner jusqu'à ce que la sauce devienne épaisse et onctueuse. Servir avec le faisan, le chou rouge et de la purée de pommes de terre. Garnir de brins d'aneth.

4 *personnes*
Niveau de pression: **6,8 kg/15 lb**
Préparation: **15 minutes**
Cuisson à découvert: **5 minutes**
Cuisson sous pression: **10 minutes**

4 petits ou 2 gros faisans, détaillés en morceaux (on peut utiliser de la pintade)
1 c. à table d'huile
1 petit chou rouge, d'environ 675 g/1 ½ lb, coupé en lanières
1 oignon pelé et haché
1 grosse pomme à cuire pelée, évidée et hachée
1 c. à table de cassonade foncée
2 c. à table d'aneth frais haché
Sel et poivre noir du moulin
1 c. à table de vinaigre balsamique
300 ml/½ pt de bouillon de poulet
1 c. à table de beurre mou
1 c. à table de farine blanche

GARNITURE
Brins d'aneth

ACCOMPAGNEMENT
Purée de pommes de terre

CIVET DE FAISAN AUX HARICOTS BLANCS ET AUX OLIVES

CE GENRE DE METS PLAÎT PARTICULIÈREMENT AUX HOMMES CAR IL CONTIENT BEAUCOUP DE VIANDE, A DU GOÛT ET EST BIEN COPIEUX!

Couvrir les haricots d'eau bouillante et laisser tremper 1 heure. Égoutter et réserver. Découper les faisans en morceaux, rincer et bien éponger avec de l'essuie-tout.

Chauffer 1 cuillerée à table d'huile dans l'autocuiseur et faire dorer la volaille. La retirer du cuiseur et laisser en attente. Ajouter le reste d'huile, l'oignon et l'ail et faire sauter 3 minutes. Joindre les champignons et faire sauter 1 minute de plus.

Mettre les haricots dans le cuiseur et poser les morceaux de faisan par-dessus. Mouiller avec le vin rouge et le bouillon puis terminer par le miel, un peu de sel et de poivre et les olives (en garder 1 cuillerée à soupe).

Fermer le couvercle, amener à une pression de 6,8 kg/15 lb et cuire 10 minutes.

Décompresser rapidement, enlever la volaille du cuiseur et la garder au chaud. Égoutter les haricots, les dresser autour du faisan et remettre le jus de cuisson dans l'autocuiseur.

Malaxer le beurre et la farine pour obtenir une pâte homogène. Amener le jus de cuisson à faible ébullition et incorporer la pâte par petites cuillerées. Cuire en remuant jusqu'à ce que la sauce soit épaisse et onctueuse. Rectifier l'assaisonnement, ajouter le reste d'olives noires et le persil haché et napper les morceaux de faisan. Accompagner de purée de pommes de terre et de légumes verts fraîchement cuits.

4 *personnes*

Niveau de pression: **6,8 kg/15 lb**

Préparation: **10 minutes**, plus
1 heure de trempage

Cuisson à découvert: **9 minutes**

Cuisson sous pression: **10 minutes**

225 g/8 oz de haricots blancs fins secs (cannellini)

2 gros faisans (environ 1,25 kg/2 ½ lb au total)

2 c. à table d'huile

1 oignon moyen, pelé et émincé

3 gousses d'ail pelées et hachées

225 g/8 oz de petits champignons blancs, essuyés et hachés

150 ml/¼ pt de vin rouge

300 ml/½ pt de bouillon de poulet

2 c. à thé de miel

Sel et poivre noir du moulin

75 g/3 oz d'olives noires dénoyautées

1 c. à table de beurre mou

1 c. à table de farine blanche

2 c. à table de persil frais haché

ACCOMPAGNEMENT

Purée de pommes de terre et légumes verts fraîchement cuits

POULET DES CARAÏBES

L'IGNAME OCCUPE UNE PLACE IMPORTANTE DANS LA CUISINE ANTILLAISE; ELLE S'APPRÊTE COMME LA POMME DE TERRE.

Dans l'autocuiseur, chauffer l'huile, saisir les morceaux de poulet, les retirer de la marmite et réserver. Mettre l'ail, le piment et l'igname dans l'huile restée dans le cuiseur et faire sauter 5 minutes ou jusqu'à ce que les légumes aient ramolli. Ajouter les poivrons et cuire 2 minutes. Retirer tous les légumes de la marmite et la nettoyer.

Remettre le poulet et le mélange à l'igname dans le cuiseur ainsi que la mangue, la cassonade, le jus, le bouillon et la sauce soja. Saler et poivrer, fermer le couvercle et amener à une pression de 6,8 kg/15 lb. Cuire 10 minutes. Décompresser rapidement puis retirer le poulet et l'igname et égoutter le jus de cuisson. Les dresser sur un plat de service chaud et tenir au chaud. Faire bouillir le jus de cuisson et ajouter la coriandre. Délayer la fécule de maïs dans 1 cuillerée à table d'eau et incorporer au liquide bouillant. Cuire en remuant jusqu'à épaississement. Rectifier l'assaisonnement et napper le poulet. Garnir de mangue et de coriandre et servir.

4 *personnes*
Niveau de cuisson: **6,8 kg/15 lb**
Préparation: **10 minutes**
Cuisson à découvert: **12 minutes**
Cuisson sous pression: **10 minutes**

2 c. à table d'huile
4 morceaux de poulet sans peau
4 gousses d'ail pelées et coupées en deux
1 piment serrano vert, épépiné et haché
1 grosse igname pelée et coupée en cubes
1 poivron rouge, épépiné et tranché
1 poivron jaune, épépiné et tranché

1 mangue presque mûre, pelée, dénoyautée et hachée
2 c. à thé de cassonade
150 ml/1/4 pt de jus de mangue ou d'orange
300 ml/1/2 pt de bouillon de poulet
2 c. à table de sauce soja foncée
Sel et poivre noir du moulin
2 c. à table de coriandre fraîche hachée
1 c. à table de fécule de maïs

GARNITURE
Morceaux de mangue et coriandre supplémentaires

POULET ÉPICÉ
AUX CANNEBERGES ET À L'ORANGE

L'ODEUR DES CANNEBERGES QUI CUISENT ME FAIT
IMMANQUABLEMENT PENSER AUX NOËLS DE MON ENFANCE.

Détailler les cuisses de poulet en dés. Dans l'autocuiseur, chauffer 1 cuillerée à table d'huile et saisir les morceaux de poulet. À l'aide d'une écumoire, les retirer du cuiseur. Ajouter le reste d'huile et faire revenir les échalotes et le céleri 5 minutes, ou jusqu'à ce qu'ils commencent à ramollir.

Remettre le poulet dans l'autocuiseur et ajouter les brins de romarin, les canneberges, l'écorce d'orange, le bâtonnet de cannelle, le jus d'orange, le bouillon, le sel et le poivre. Fermer le couvercle, amener à une pression de 6,8 kg/15 lb et cuire 3 minutes. Décompresser rapidement puis placer le support.

Tapisser le panier de papier d'aluminium et y mettre les pâtes avec 600 ml/1 pt d'eau bouillante. Poser sur le support et fermer le couvercle. Ramener à la même pression et cuire 5 minutes. Décompresser rapidement, retirer le panier et égoutter les pâtes. Servir le poulet sur les pâtes et garnir de brins de romarin, de canneberges et de quartiers d'orange.

4 *personnes*
Niveau de pression: **6,8 kg/15 lb**
Préparation: **5 minutes**
Cuisson à découvert: **10 minutes**
Cuisson sous pression: **8 minutes**

8 cuisses de poulet, désossées et sans peau
2 c. à table d'huile
8 échalotes pelées et coupées en quartiers
4 branches de céleri coupées en tronçons
2 petits brins de romarin frais

100 g/4 oz de canneberges fraîches ou décongelées si surgelées
1 long ruban d'écorce d'orange
1 bâtonnet de cannelle un peu écrasé
4 c. à table de jus d'orange
150 ml/¼ pt de bouillon de poulet
Sel et poivre noir du moulin
225 g/8 oz de pâtes de fantaisie

GARNITURE
Brins de romarin, canneberges et quartiers d'orange

CANARD AUX FIGUES ET AU PORTO

J'AIME MANGER LE CANARD UN PEU ROSÉ MAIS SI VOUS LE PRÉFÉREZ BIEN CUIT,
LAISSEZ-LE 1 OU 2 MINUTES DE PLUS.

Éponger les poitrines de canard et faire 3 incisions en biais sur chacune d'elles. Dans l'autocuiseur, chauffer l'huile et faire dorer la viande de tous côtés. Retirer à l'aide d'une écumoire et égoutter sur de l'essuie-tout.

Mettre les échalotes dans l'huile restée dans le cuiseur et faire revenir 3 minutes. Enlever le surplus de graisse puis ajouter les figues séchées hachées.

Remettre le canard dans l'autocuiseur et ajouter le jus d'orange, le bouillon, le porto, le sel et le poivre.

Fermer le couvercle et amener à une pression de 6,8 kg/15 lb. Cuire de 12 à 15 minutes (selon le degré de cuisson voulu). Décompresser rapidement, retirer le canard du cuiseur et conserver au chaud. Mettre les échalotes et les figues ainsi que le jus de cuisson dans un mélangeur et réduire en purée. Remettre dans le cuiseur, incorporer la crème et mettre sur feu doux. Rectifier l'assaisonnement et napper les poitrines de canard. Servir décoré de figues fraîches et accompagné de légumes fraîchement cuits.

4 *personnes*
Niveau de pression: **6,8 kg/15 lb**
Préparation: **5 minutes**
Cuisson à découvert: **8 minutes**
Cuisson sous pression: **12 à 15 minutes**

4 poitrines de canard désossées
1 c. à table d'huile
4 échalotes pelées et coupées en quartiers
75 g/3 oz de figues séchées, hachées

150 ml/¼ pt de jus d'orange
150 ml/¼ pt de bouillon de poulet
3 c. à table de porto
Sel et poivre noir du moulin
4 c. à table de crème 35 %

GARNITURE
Figues fraîches

ACCOMPAGNEMENT
Légumes fraîchement cuits

POULET BRAISÉ AU CITRON ET AU CUMIN

CE PLAT DE POULET CONVIENT BIEN À UNE JOURNÉE PRINTANIÈRE OÙ L'ON AIMERAIT MANGER QUELQUE CHOSE DE PLUS SUBSTANTIEL QU'UNE SALADE. AUCUN DOUTE QUE LA PURÉE DE POMMES DE TERRE AGRÉMENTÉE D'OIGNONS VERTS AURA DU SUCCÈS.

Découper le poulet en petits morceaux. Dans l'autocuiseur, chauffer l'huile et faire dorer le poulet. À l'aide d'une écumoire, le retirer de la marmite et laisser en attente.

Mettre l'oignon dans le cuiseur et faire blondir 2 minutes. Ajouter le citron, les graines de cumin et la coriandre en poudre et faire sauter 1 minute. Remettre le poulet. Joindre le vin blanc, 150 ml/1/4 pt d'eau, le miel et un peu de sel et de poivre.

Placer le support dans le cuiseur et le panier par-dessus. Mettre les pommes de terre dans le panier et fermer le couvercle. Amener à une pression de 6,8 kg/15 lb et cuire 3 minutes.

Décompresser rapidement, retirer les pommes de terre et les mettre dans un bol. Ajouter le sel, le poivre et le beurre et piler jusqu'à ce que la purée soit onctueuse. Incorporer la crème ou le yogourt ainsi que les oignons verts et bien mélanger. Garder au chaud.

Délayer la fécule de maïs dans 2 cuillerées à table d'eau et ajouter au poulet et au jus de cuisson. Cuire à feu doux en remuant, jusqu'à épaississement. Rectifier l'assaisonnement et servir accompagné de purée aux oignons verts et d'une salade verte.

4 *personnes*
Niveau de pression: **6,8 kg/15 lb**
Préparation: **10 minutes**
Cuisson à découvert: **8 minutes**
Cuisson sous pression: **3 minutes**

550 g/1 1/4 lb de poulet désossé et sans peau
1 c. à table d'huile
1 oignon moyen, pelé et coupé en demi-rondelles
1 petit citron coupé en demi-rondelles
1 c. à thé de graines de cumin
1/2 c. à thé de coriandre en poudre

150 ml/1/4 pt de vin blanc sec
2 c. à thé de miel
Sel et poivre noir du moulin
675 g/1 1/2 lb de pommes de terre pelées et coupées en morceaux
2 c. à table de beurre
2 c. à table de crème 15% ou de yogourt nature faible en gras
4 à 5 oignons verts hachés
1 c. à table de fécule de maïs

ACCOMPAGNEMENT
Salade verte

RAGOÛT DE POULET AUX DOLIQUES À ŒIL NOIR

DES CUISSES DE POULET DÉSOSSÉES DONNENT UN TRÈS BON RÉSULTAT DANS CETTE RECETTE.
LE GOÛT UN PEU PLUS FORT DE CETTE PARTIE DE LA VOLAILLE COMPLÈTE BIEN CELUI DES HARICOTS.

Couvrir les haricots secs d'eau bouillante, laisser tremper 1 heure puis égoutter. Mettre les haricots dans l'autocuiseur avec 600 ml/1 pt d'eau froide et porter à ébullition. Écumer puis réduire un peu le feu. Fermer le couvercle et, à la même intensité de chaleur, amener à une pression de 6,8 kg/15 lb. Cuire 5 minutes puis décompresser lentement.

Jeter le jus de cuisson et réserver les haricots. Nettoyer le cuiseur, chauffer l'huile et faire dorer le jambon fumé et le poulet.

Ajouter l'oignon, le fenouil et les carottes et cuire 3 minutes de plus en remuant souvent.

Joindre les tomates et leur jus et les haricots puis le sel, le poivre, l'assaisonnement cajun, l'origan et le bouillon. Remuer un peu, disposer par-dessus les rondelles de patates douces et fermer le couvercle.

Amener à une pression de 6,8 kg/15 lb, cuire 5 minutes puis décompresser lentement. Ôter le couvercle et dresser le poulet, les haricots et les patates douces dans un plat chaud. Parsemer de fines herbes et accompagner de pain croustillant.

6 *personnes*
Niveau de pression: **6,8 kg/15 lb**
Préparation: **10 minutes, plus**
  1 heure de trempage
Cuisson à découvert: **6 minutes**
Cuisson sous pression: **10 minutes**

225 g/8 oz de doliques à œil noir secs
1 c. à table d'huile
300 g/10 oz de jambon fumé coupé en dés
450 g/1 lb de poulet désossé et sans peau, coupé en dés
1 oignon moyen, pelé et haché
1 bulbe de fenouil coupé en dés
2 carottes moyennes, pelées et coupées en dés
400 g/14 oz de tomates broyées en conserve
Sel et poivre noir du moulin
1 c. à table d'assaisonnement cajun
2 c. à table d'origan frais haché
300 ml/$\frac{1}{2}$ pt de bouillon de poulet
350 g/12 oz de patates douces pelées et coupées en rondelles

GARNITURE
1 c. à table d'origan ou de persil frais haché

ACCOMPAGNEMENT
Pain croustillant

ROULADES DE DINDE AUX ASPERGES ET AUX POIVRONS

CE PLAT, QUI EST PARMI MES PRÉFÉRÉS, EST UN PEU LONG À PRÉPARER MAIS LE RÉSULTAT EN VAUT VRAIMENT LA PEINE.

Mettre les escalopes de dinde entre 2 morceaux de papier ciré et les aplatir à l'aide d'un maillet à viande pour qu'elles aient 6 mm/$\frac{1}{4}$ po d'épaisseur. Disposer sur une planche à découper et laisser en attente.

Faire blanchir de 12 à 16 pointes d'asperge dans de l'eau bouillante 5 minutes, égoutter et éponger. Déposer 3 ou 4 pointes d'asperges (selon leur grosseur) et 2 ou 3 lanières de poivron rouge sur chaque escalope de dinde et rouler. Envelopper chaque roulade de deux tranches de jambon de Parme et attacher avec de la ficelle fine.

Dans l'autocuiseur, chauffer l'huile et faire dorer les roulades. Placer le panier par-dessus les roulades et y disposer le reste d'asperges et de poivron rouge, le poivron orange ainsi que les quartiers d'oignon. Mouiller avec le bouillon, le vin, le miel et la sauce soja. Amener à une pression de 6,8 kg/15 lb et cuire 5 minutes. Décompresser rapidement, retirer les roulades et les légumes et tenir au chaud.

Malaxer le beurre et la farine pour obtenir une pâte. Porter le jus de cuisson à ébullition et y incorporer la pâte par petites cuillerées. Cuire en remuant, de 3 à 4 minutes, jusqu'à ce que la sauce soit épaisse et glacée.

Servir poudré de poivre noir, accompagné de légumes cuits, de pommes de terre nouvelles et de sauce.

4 *personnes*
Niveau de pression: **6,8 kg/15 lb**
Préparation: **15 minutes**
Cuisson à découvert: **8 minutes**
Cuisson sous pression: **5 minutes**

4 escalopes de poitrine de dinde, minces
350 g/12 oz de pointes de petites asperges
2 poivrons rouges, épépinés et coupés en lanières
8 tranches fines de jambon de Parme (ou de prosciutto)
1 c. à table d'huile
1 poivron orange, épépiné, pelé et coupé en lanières

1 oignon moyen, pelé et coupé en quartiers
300 ml/$\frac{1}{2}$ pt de bouillon de dinde ou de poulet
150 ml/$\frac{1}{4}$ pt de vin blanc sec
2 c. à thé de miel
2 c. à table de sauce soja foncée
1 c. à table de beurre mou
1 c. à table de farine blanche

GARNITURE
Poivre noir du moulin

ACCOMPAGNEMENT
Légumes cuits et pommes de terre nouvelles

DINDE À LA MODE JAMAÏCAINE

SI LE RÔTI DE DINDE PÈSE PLUS DE 900 G/2 LB OU S'IL EST TROP HAUT ET EMPÊCHE LE PANIER DE LOGER DANS LA CUVE DE L'AUTOCUISEUR, IL FAUDRAIT FAIRE CUIRE LE RIZ À PART.

Éponger le rôti de dinde, pratiquer 3 ou 4 entailles sur le dessus et le mettre dans un plat peu profond. Mélanger la sauce chili, l'ail écrasé, le piment de la Jamaïque, le rhum, le ketchup et l'huile. Verser sur le rôti ou l'en badigeonner, couvrir sans serrer et faire macérer au réfrigérateur pendant au moins 30 minutes, plus longtemps si possible. Badigeonner ou arroser le rôti de marinade à plusieurs reprises.

Placer la grille dans l'autocuiseur et la badigeonner d'un peu d'huile. Verser le jus de fruits et le bouillon de dinde ou de poulet. Égoutter le rôti de dinde et le mettre sur la grille. Fermer le couvercle et amener à une pression de 6,8 kg/15 lb. Cuire 20 minutes puis décompresser rapidement.

Entre-temps, tapisser le panier de papier d'aluminium et y mettre le riz. Incorporer au riz le piment haché et mouiller avec le bouillon de légumes chaud. Couvrir d'une double épaisseur de papier ciré. Poser sur le rôti et fermer le couvercle. Ramener à une pression de 6,8 kg/15 lb et cuire 5 minutes. Décompresser lentement et retirer le riz et la dinde.

Égrener le riz à la fourchette, incorporer la coriandre hachée et dresser sur un plat chaud avec la dinde. Garnir de brins de coriandre et de quartiers de mangue.

6 *personnes*
Niveau de pression: **6,8 kg/15 lb**
Préparation: **5 minutes, plus 30 minutes de macération**
Cuisson sous pression: **25 minutes**

1 rôti de dinde désossé de 900 g/2 lb
2 c. à table de sauce chili piquante
4 gousses d'ail pelées et écrasées
1 c. à thé de piment de la Jamaïque
2 c. à table de rhum brun
4 c. à table de ketchup
2 c. à thé d'huile
250 ml/8 oz de jus de mangue ou d'orange
250 ml/8 oz de bouillon de dinde ou de poulet, chaud
225 g/8 oz de riz à grains longs
1 piment jalapeño rouge haché
450 ml/³/₄ pt de bouillon de légumes, chaud
1 c. à table de coriandre fraîche hachée

GARNITURE
Brins de coriandre et quartiers de mangue

LÉGUMES

COURGE MUSQUÉE EN COCOTTE

BIEN QU'ORIGINAIRE D'AMÉRIQUE TROPICALE, LA COURGE MUSQUÉE EST MAINTENANT CULTIVÉE EN EUROPE ET EN AMÉRIQUE DU NORD. ON PEUT LA FAIRE BOUILLIR, LA CUIRE EN RAGOÛT OU ENCORE LA FARCIR ET LA METTRE AU FOUR.

Dans l'autocuiseur, chauffer l'huile et faire sauter l'oignon, l'ail, le piment et la courge, 3 minutes. Ajouter les patates douces, les poivrons et la cassonade et faire sauter 1 minute.

Ajouter les tomates broyées et leur jus, le bouillon ou l'eau et la sauce Worcestershire. Fermer le couvercle, amener à une pression de 6,8 kg/15 lb et cuire 3 minutes.

Décompresser rapidement, saler, poivrer et saupoudrer de persil haché avant de servir.

4 *personnes*
Niveau de pression: **6,8 kg/15 lb**
Préparation: **15 minutes**
Cuisson à découvert: **4 minutes**
Cuisson sous pression: **3 minutes**

1 c. à table d'huile
1 oignon moyen, pelé et coupé en quartiers
3 à 5 gousses d'ail pelées et tranchées
1 piment serrano épépiné et tranché
1 petite courge musquée (d'environ 450 g/1 lb), pelée et coupée en cubes

225 g/8 oz de patates douces pelées et coupées en cubes
1 poivron rouge, épépiné et tranché
1 poivron vert épépiné et tranché
1 c. à thé de cassonade foncée
400 g/14 oz de tomates broyées en conserve
250 ml/8 oz de bouillon de légumes ou d'eau
1 c. à table de sauce Worcestershire
Sel et poivre noir du moulin

GARNITURE
Persil frais haché

LÉGUMES D'HIVER À L'ORGE PERLÉ

ACCOMPAGNÉ D'UN PAIN AUX GRAINS ENTIERS TOUT CHAUD, CE METS CONSISTANT
PEUT FAIRE OFFICE DE PLAT PRINCIPAL.

Mettre l'orge perlé dans l'autocuiseur et mouiller avec 900 ml/ 1 1/2 pt d'eau. Fermer le couvercle, amener à une pression de 6,8 kg/15 lb et cuire 18 minutes. Décompresser lentement, retirer l'orge, égoutter et laisser en attente. Essuyer la marmite.

Mettre l'huile dans le cuiseur et faire sauter l'oignon, l'ail, les panais, le céleri, les carottes et les pommes de terre 2 minutes. Remettre l'orge ainsi que les tomates et leur jus, le bouillon, l'assaisonnement et l'origan haché. Fermer le couvercle et amener à une pression de 6,8 kg/15 lb. Cuire 3 minutes puis décompresser rapidement.

Tapisser le panier de papier d'aluminium et y déposer le chou. Ajouter 6 cuillerées à table d'eau chaude et parsemer les graines de carvi. Placer le support sur les légumes et déposer le panier par-dessus. Fermer le couvercle et ramener à une pression de 6,8 kg/15 lb. Cuire 1 minute puis décompresser rapidement.

Ôter le panier du cuiseur, saler et poivrer le chou. Vérifier l'assaisonnement des autres légumes et servir avec le chou et du pain aux grains entiers tout chaud.

6 *personnes*
Niveau de pression: **6,8 kg/15 lb**
Préparation: **15 minutes**
Cuisson à découvert: **2 minutes**
Cuisson sous pression: **22 minutes**

100 g/4 oz d'orge perlé
1 c. à table d'huile
1 gros oignon pelé et coupé en quartiers
4 gousses d'ail pelées et hachées
2 panais pelés et coupés en quartiers
3 branches de céleri hachées
2 carottes (environ 175 g/6 oz) pelées et coupées en rondelles

300 g/10 oz de pommes de terre pelées et coupées en morceaux
400 g/14 oz de tomates broyées en conserve
150 ml/1/4 pt de bouillon de légumes
Sel et poivre noir du moulin
1 c. à table d'origan frais haché
450 g/1 lb de chou vert coupé en lanières
1 c. à table de graines de carvi

ACCOMPAGNEMENT
Pain aux grains entiers chaud

MINIRACINES GLACÉES
À L'ÉRABLE

MÊME SI LE SIROP D'ÉRABLE EST SURTOUT APPRÉCIÉ SUR LES CRÊPES ET LES DESSERTS,
IL FAIT AUSSI DES MERVEILLES POUR PARFUMER DES LÉGUMES.

4 à 6 *personnes*
Niveau de pression: **6,8 kg/15 lb**
Préparation: **15 minutes**
Cuisson à découvert: **8 à 9 minutes**
Cuisson sous pression: **4 minutes**

8 petits oignons pelés
225 g/8 oz de petits navets pelés
225 g/8 oz de petites carottes pelées ou grattées
225 g/8 oz de pommes de terre grelots grattées
225 g/8 oz de petits panais pelés
1 c. à table d'huile
1 c. à thé de cassonade
2 c. à table de sirop d'érable
1 c. à thé de sauce chili (ou au goût)
300 ml/1/2 pt de bouillon de légumes
1 c. à table de thym frais haché
Sel et poivre noir du moulin

GARNITURE
Thym frais haché

Couper tous les légumes en deux ou en quatre pour qu'ils soient à peu près de la même grosseur. Dans l'autocuiseur, chauffer l'huile et faire sauter tous les légumes 5 minutes. Ajouter la cassonade, le sirop d'érable et la sauce chili et bien remuer.

Mouiller avec le bouillon, ajouter le thym haché et fermer le couvercle. Amener à une pression de 6,8 kg/15 lb et cuire 4 minutes. Décompresser rapidement et égoutter en récupérant le liquide. Saler et poivrer les légumes, les dresser sur un plat de service et garder au chaud.

Faire bouillir le jus de cuisson, 3 à 4 minutes ou jusqu'à ce qu'il soit sirupeux. Napper les légumes et servir décoré de thym haché.

ÉPIS DE MAÏS AU BEURRE D'AIL ET DE FINES HERBES

LES ÉPIS DE MAÏS SONT DÉLICIEUX CUITS AU BARBECUE. SI VOUS N'AVEZ PAS BEAUCOUP DE TEMPS, VOUS POUVEZ COMMENCER À LES FAIRE BOUILLIR DANS L'AUTOCUISEUR, PENDANT QUE LE BARBECUE CHAUFFE, PUIS LES TERMINER AU BARBECUE.

4 *personnes*
Niveau de pression: **6,8 kg/15 lb**
Préparation: **5 à 8 minutes,**
  plus 30 minutes de réfrigération
Cuisson sous pression: **10 minutes**

75 g/3 oz de beurre mou
2 gousses d'ail pelées et écrasées
1 c. à table de zeste de citron râpé
1 c. à table de persil frais haché
1 c. à table de thym frais haché
1 c. à table de ciboulette fraîche ciselée
4 épis de maïs

Travailler le beurre en pommade puis incorporer l'ail écrasé, le zeste de citron et les herbes hachées. Façonner en saucisson, envelopper de papier ciré et placer au réfrigérateur durant 30 minutes ou jusqu'à ce que le beurre ait durci.

Enlever les feuilles et les barbes des épis de maïs et bien les rincer.

Les mettre dans l'autocuiseur avec 300 ml/1/2 pt d'eau. Fermer le couvercle et amener à une pression de 6,8 kg/15 lb. Cuire 10 minutes puis décompresser rapidement. Retirer les épis de maïs et déposer sur chacun d'eux un gros morceau de beurre d'ail et de fines herbes avant de servir.

POMMES DE TERRE NOUVELLES
AUX ÉCHALOTES

UN PILON ET UN MORTIER, VOILÀ DEUX INSTRUMENTS BIEN UTILES DANS UNE CUISINE CAR ILS PERMETTENT
D'ÉCRASER LÉGÈREMENT LES GOUSSES D'ÉPICES SANS TOUTEFOIS EN FAIRE SORTIR LES GRAINES.

Dans l'autocuiseur, chauffer l'huile et faire sauter la citronnelle, les graines de coriandre, le gingembre râpé et l'ail 2 minutes. Ajouter les pommes de terre et les échalotes et faire sauter 3 minutes de plus.

Mouiller avec le lait de coco, la sauce soja et le bouillon et fermer le couvercle. Amener à une pression de 6,8 kg/15 lb et cuire 4 minutes.

Décompresser rapidement et égoutter. Ôter les tiges de citronnelle. Ajouter le sel et le poivre ainsi que la coriandre et servir.

4 *personnes*
Niveau de pression: **6,8 kg/15 lb**
Préparation: **10 minutes**
Cuisson à découvert: **5 minutes**
Cuisson sous pression: **4 minutes**

1 c. à table d'huile
2 tiges de citronnelle effeuillées
  et un peu écrasées
1 c. à table de graines de coriandre
  broyées
1 petit morceau de gingembre frais,
  pelé et râpé finement
2 gousses d'ail pelées et écrasées
450 g/1 lb de pommes de terre grelots
  grattées
225 g/8 oz d'échalotes pelées
150 ml/1/4 pt de lait de coco
1 c. à table de sauce soja légère
150 ml/1/4 pt de bouillon de légumes
  bouillant
Sel et poivre noir du moulin
2 c. à table de feuilles de coriandre
  fraîche

GRATIN DAUPHINOIS

POUR PRÉPARER CETTE RECETTE, IL FAUDRAIT VEILLER À CE QUE LE PLAT QUE VOUS VOULEZ UTILISER LOGE LARGEMENT DANS L'AUTOCUISEUR ET QU'IL PUISSE EN OUTRE ALLER AU FOUR CAR VOUS ALLEZ FAIRE GRATINER LE FROMAGE.

Beurrer un plat rond allant au four de 1,2 litre/2 pintes. Couper les patates douces en rondelles assez épaisses. Rincer à l'eau froide les pommes de terre et les patates douces puis les éponger avec de l'essuie-tout. Disposer au fond du plat une couche des deux légumes, d'oignon et d'ail et verser un peu de crème. Saupoudrer de cheddar râpé et d'un peu de parmesan.

Répéter l'opération jusqu'à ce qu'il n'y ait plus de légumes et terminer par une couche de crème et de fromage. Recouvrir d'une double épaisseur de papier ciré et attacher.

Verser 600 ml/1 pt d'eau dans le cuiseur et placer le support. Poser le plat par-dessus et fermer le couvercle. Amener à une pression de 6,8 kg/15 lb et cuire 20 minutes. Décompresser rapidement, sortir le plat et enlever le papier. Préchauffer le gril puis faire gratiner 4 à 5 minutes en tournant de temps en temps le plat. Servir aussitôt.

3 à 4 *personnes*
Niveau de pression: **6,8 kg/15 lb**
Préparation: **15 minutes**
Cuisson sous pression: **20 minutes**

1 c. à table de beurre fondu
175 g/6 oz de patates douces pelées
300 g/10 oz de pommes de terre pelées et coupées en rondelles fines
1 petit oignon pelé et coupé en rondelles fines
2 à 4 gousses d'ail pelées et écrasées
150 ml/^{1}/$_4$ pt de crème 35 %
100 g/4 oz de cheddar râpé
2 c. à table de parmesan râpé

MÉLANGE POTAGER CRÉOLE

LORSQU'ON UTILISE DES PIMENTS FORTS, IL FAUT SAVOIR QUE LA MEMBRANE BLANCHE À LAQUELLE SONT ATTACHÉES LES GRAINES EST AUSSI PIQUANTE QUE LES GRAINES ELLES-MÊMES. LAVEZ-VOUS TOUJOURS BIEN LES MAINS APRÈS AVOIR TOUCHÉ CES LÉGUMES.

3 à 4 *personnes*
Niveau de pression: **6,8 kg/15 lb**
Préparation: **10 minutes**
Cuisson à découvert: **5 minutes**
Cuisson sous pression: **3 minutes**

1 c. à table d'huile
4 gousses d'ail pelées et tranchées
1 à 2 piments serrano verts, épépinés et hachés
1 oignon moyen, pelé et tranché
4 branches de céleri hachées
1 gros poivron rouge, épépiné et haché
100 g/4 oz de haricots verts coupés en deux
225 g/8 oz de gombos
1 c. à thé de piment de la Jamaïque
1 c. à table d'origan frais haché
4 tomates moyennes (environ 300 g/10 oz) hachées
150 ml/¼ pt de bouillon de légumes, bouillant
Sel et poivre noir du moulin

GARNITURE
Brins d'origan

Dans l'autocuiseur, chauffer l'huile et faire sauter l'ail, les piments, l'oignon et le céleri 3 minutes. Ajouter le poivron, les haricots et les gombos et saupoudrer de piment de la Jamaïque. Faire sauter 2 minutes puis incorporer l'origan et les tomates. Mouiller avec le liquide bouillant.

Fermer le couvercle et amener à une pression de 6,8 kg/15 lb. Cuire 3 minutes et décompresser rapidement. Égoutter, assaisonner et servir décoré de brins d'origan.

CHOU ROUGE À LA POMME ET AU CARVI

EN CUISANT, LE CHOU ROUGE PREND UNE COULEUR VIOLET VIF EXTRAORDINAIRE. SI ON LUI AJOUTE SON GOÛT SAVOUREUX, IL MÉRITE ALORS UNE PLACE DE CHOIX EN CUISINE.

4 à 6 *personnes*
Niveau de pression: **6,8 kg/15 lb**
Préparation: **8 minutes**
Cuisson sous pression: **4 minutes**

1 chou rouge d'environ 900 g/2 lb
1 petit oignon pelé et émincé
1 pomme à cuire pelée, évidée et coupée en tranches
2 c. à table de cassonade foncée
3 c. à table de vinaigre de cidre
1 c. à thé de graines de carvi
Sel et poivre noir du moulin
450 ml/¾ pt de bouillon de légumes ou d'eau

GARNITURE
1 c. à table de persil frais haché

Ôter les feuilles flétries et le trognon du chou et le couper en fines lanières. Rincer abondamment à l'eau froide et égoutter. Mettre le chou dans l'autocuiseur ainsi que l'oignon, les tranches de pomme, la cassonade, le vinaigre, les graines de carvi, le sel et le poivre. Mélanger un peu, mouiller avec le bouillon et fermer le couvercle.

Amener à une pression de 6,8 kg/15 lb et cuire 4 minutes. Décompresser rapidement, égoutter et servir saupoudré de persil haché.

FANTAISIE AU FENOUIL

LE FENOUIL FAIT PARTIE DE CES LÉGUMES QUE BEAUCOUP DE GENS NE SAVENT PAS TROP COMMENT APPRÊTER. JE L'AI ASSOCIÉ À DES POIREAUX, DES CAROTTES, DE L'AIL ET DES POMMES DE TERRE DANS CE PLAT SAVOUREUX, IDÉAL POUR LE REPAS DU SOIR. QUOIQUE FACULTATIF, LE JAMBON FUMÉ EN REHAUSSE ÉVIDEMMENT LE GOÛT.

4 *personnes*
Niveau de pression: **6,8 kg/15 lb**
Préparation: **10 minutes**
Cuisson à découvert: **2 minutes**
Cuisson sous pression: **3 minutes**

1 c. à table d'huile
3 gousses d'ail pelées et tranchées
1 morceau de jambon fumé de 350 g/12 oz, haché (facultatif)
2 bulbes de fenouil tranchés
2 poireaux, environ 300 g/ 10 oz, tranchés épais
300 g/10 oz de pommes de terre nouvelles, grattées et coupées en rondelles épaisses
2 grosses carottes, environ 225 g/8 oz, pelées et coupées en rondelles
Sel et poivre noir du moulin
1/2 c. à thé de muscade fraîchement râpée
2 c. à table d'estragon frais haché
300 ml/1/2 pt de bouillon de légumes

GARNITURE
Cheddar fort fraîchement râpé

Chauffer l'huile et faire sauter l'ail et le jambon (s'il y a lieu), 2 minutes. Les retirer et réserver.

Disposer fenouil, poireaux, pommes de terre et carottes en couches en parsemant d'un peu d'ail et de jambon (s'il y a lieu). Assaisonner chaque couche de sel, de poivre, de muscade et d'un peu d'estragon haché. Lorsque tous les légumes ont été utilisés, mouiller avec le bouillon et fermer le couvercle.

Amener à une pression de 6,8 kg/15 lb et cuire 3 minutes puis décompresser rapidement et parsemer de fromage râpé.

LÉGUMES À LA THAÏE

LE PIMENT OISEAU EST EXTRÊMEMENT PIQUANT. À MOINS DE SUPPORTER LA CUISINE TRÈS PIMENTÉE, UTILISEZ-LE AVEC PARCIMONIE ET PORTEZ DES GANTS DE CAOUTCHOUC POUR LE MANIPULER.

4 *personnes*
Niveau de pression: **6,8 kg/15 lb**
Préparation: **15 minutes**
Cuisson à découvert: **3 minutes**
Cuisson sous pression: **1 minute**

1 c. à table d'huile
2 à 3 gousses d'ail pelées et écrasées
2 tiges de citronnelle effeuillées et un peu écrasées
1 petit morceau de gingembre frais, pelé et finement râpé
1 à 2 piments oiseau ou jalapeño verts, épépinés et hachés
1 bâtonnet de cannelle un peu écrasé
175 g/6 oz de bouquets de brocoli
175 g/6 oz de bouquets de chou-fleur
2 carottes pelées et hachées
1 grosse courgette coupée en tranches épaisses
100 g/4 oz de haricots verts coupés en deux
150 ml/1/4 pt de lait de coco
Sel et poivre noir du moulin

GARNITURE
Feuilles de coriandre fraîche

Dans l'autocuiseur, chauffer l'huile et faire sauter l'ail, la citronnelle, le gingembre, les piments et la cannelle 2 minutes. Ajouter les légumes et faire sauter 1 minute.

Verser le lait de coco et 150 ml/1/4 pt d'eau bouillante, fermer le couvercle et amener à une pression de 6,8 kg/15 lb. Cuire 1 minute puis décompresser rapidement et jeter la citronnelle et la cannelle. Assaisonner et servir parsemé de feuilles de coriandre fraîche.

(Pour obtenir des légumes vraiment croquants, faire monter en pression puis retirer du feu et décompresser rapidement; pour des légumes plus mous, cuire sous pression durant 2 minutes.)

SUCCOTASH AUX GOURGANES ET AU JAMBON FUMÉ

LA SAISON DES GOURGANES (FÈVES DES MARAIS) ÉTANT TRÈS COURTE, IL FAUT EN PROFITER. APRÈS QUOI, ON PEUT UTILISER DES FÈVES SURGELÉES.

Dans l'autocuiseur, chauffer l'huile et faire sauter les oignons, l'ail, le piment et le jambon 2 minutes. Ajouter les gourganes et le maïs. Délayer la pâte de tomate dans le bouillon et verser sur les légumes.

Fermer le couvercle et amener à une pression de 6,8 kg/15 lb. Cuire 2 minutes, décompresser rapidement puis saler et poivrer. Égoutter le mélange aux gourganes, mettre dans un bol de service et garder au chaud.

Faire bouillir le jus de cuisson dans l'autocuiseur. Délayer la fécule de maïs dans 1 cuillerée à table d'eau pour former une pâte homogène puis incorporer au liquide bouillonnant. Cuire en remuant jusqu'à ce que la sauce soit un peu épaisse et onctueuse. Verser sur le mélange aux gourganes et servir saupoudré d'oignons verts et de parmesan.

3 à 4 *personnes*
Niveau de pression: **6,8 kg/15 lb**
Préparation: **10 minutes**
Cuisson à découvert: **5 minutes**
Cuisson sous pression: **2 minutes**

1 c. à table d'huile
3 petits oignons pelés et coupés en quartiers minces
2 à 3 gousses d'ail pelées et tranchées
1 piment jalapeño épépiné et tranché

1 morceau de jambon fumé de 350 g/12 oz, découenné et haché
350 g/12 oz de gourganes, de préférence fraîches, écossées
100 g/4 oz de maïs en grains
1 c. à table de pâte de tomate
300 ml/$1/2$ pt de bouillon de légumes, presque bouillant
Sel et poivre noir du moulin
2 c. à thé de fécule de maïs

GARNITURE
6 oignons verts tranchés en biais
Parmesan râpé ou en copeaux

RATATOUILLE NIÇOISE

CETTE RATATOUILLE EST SUFFISAMMENT CONSISTANTE POUR SERVIR DE PLAT PRINCIPAL SI ON L'ACCOMPAGNE DE PAIN CROUSTILLANT TOUT CHAUD OU DE POMMES DE TERRE NOUVELLES AINSI QUE DE PARMESAN.

Dans l'autocuiseur, chauffer l'huile et faire sauter l'aubergine, l'oignon, le fenouil, les courges poivrées, le chili séché et l'ail 3 minutes. Ajouter les poivrons rouge et jaune et les tomates et faire sauter 1 minute.

Délayer la pâte de tomate dans le vin rouge, incorporer au jus de tomate et verser sur les légumes. Fermer le couvercle et amener à une pression de 6,8 kg/15 lb. Cuire 2 minutes puis décompresser rapidement.

Ôter le couvercle, saler et poivrer, incorporer les lanières de basilic et servir garni de copeaux de parmesan.

6 *personnes*
Niveau de pression: **6,8 kg/15 lb**
Préparation: **15 minutes**
Cuisson à découvert: **4 minutes**
Cuisson sous pression: **2 minutes**

3 c. à table d'huile d'olive
1 aubergine, d'environ
   350 g/12 oz, coupée en dés
1 oignon moyen, pelé et coupé
   en quartiers
1 bulbe de fenouil tranché
2 courges poivrées pelées,
   épépinées et hachées
1/2 à 1 c. à thé de chili séché
   broyé
4 gousses d'ail pelées et hachées
1 poivron rouge, épépiné et
   coupé en morceaux
1 poivron jaune, épépiné et
   coupé en morceaux
300 g/10 oz de tomates mûres
   hachées
2 c. à table de pâte de tomate
150 ml/1/4 pt de vin rouge
150 ml/1/4 pt de jus de tomate
Sel et poivre noir du moulin
2 c. à table de basilic coupé en
   lanières

GARNITURE
Copeaux de parmesan

LÉGUMINEUSES, PÂTES ET CÉRÉALES

RIZ AUX LÉGUMES VERTS

UNE COMBINAISON DE TEXTURES DIFFÉRENTES FAIT PARTIE, SELON MOI, DES PLAISIRS DE LA TABLE.
DANS CE CAS-CI, LES INGRÉDIENTS CRUS SONT AJOUTÉS À LA FIN DE LA CUISSON, CE QUI DONNE
DU CROQUANT AU PLAT. ON PEUT NÉANMOINS PRÉFÉRER LES FAIRE CUIRE AVEC LES AUTRES.

4 *personnes*
Niveau de pression: **4,5 kg/10 lb**
Préparation: **5 minutes**
Cuisson sous pression: **2 minutes**

225 g/8 oz de mélange de riz sauvage
    et à grains longs
1 piment jalapeño vert, épépiné et haché
2 gousses d'ail pelées et écrasées
1 poivron vert, épépiné et haché
100 g/4 oz de petits pois frais écossés
8 oignons verts hachés
75 g/3 oz d'olives farcies au piment,
    coupées en rondelles
Sel et poivre noir du moulin

GARNITURE
2 c. à table de coriandre fraîche hachée

Mettre le riz dans l'autocuiseur et ajouter 1,5 litre/ 3 pintes d'eau. Fermer le couvercle et amener à une pression de 4,5 kg/10 lb. Cuire 2 minutes puis décompresser lentement.

Ajouter le piment, l'ail, la moitié du poivron vert et les petits pois. Bien mélanger puis fermer le couvercle. Ramener à une pression de 4,5 kg/ 10 lb, retirer du feu et décompresser lentement.

Bien égoutter le riz, le mettre dans un saladier et incorporer le reste de poivron, les oignons verts, les rondelles d'olives, le sel et le poivre. Mélanger un peu, saupoudrer de coriandre hachée et servir.

SALADE DE RIZ BRUN

CETTE SALADE REVÊT UNE SAVEUR ORIENTALE TYPIQUE. LE VINAIGRE DE RIZ ASSAISONNÉ SE VEND DANS LES ÉPICERIES ASIATIQUES ET LES MAGASINS D'ALIMENTS NATURELS.

6 *personnes*
Niveau de pression: **6,8 kg/15 lb**
Préparation: **12 minutes**
Cuisson à découvert: **4 minutes**
Cuisson sous pression: **4 minutes**

225 g/8 oz de riz brun
1 c. à thé de curcuma
Sel
2 c. à table d'huile
2 gousses d'ail pelées et hachées
1 poivron jaune haché
85 g/3 oz de carottes pelées et
    râpées

225 g/8 oz d'asperges coupées
    en petits morceaux
8 oignons verts hachés
4 à 6 châtaignes d'eau en
    conserve, égouttées et tranchées
2 c. à table de sauce soja légère
3 c. à table de vinaigre de riz
    assaisonné
2 c. à table de coriandre fraîche
    hachée

GARNITURE
2 c. à table de graines de sésame
    grillées

Mettre le riz dans l'autocuiseur et ajouter 1,5 litre/3 pt d'eau, le curcuma et du sel. Fermer le couvercle et amener à une pression de 6,8 kg/15 lb. Cuire 4 minutes, décompresser lentement, égoutter le riz et réserver. Essuyer la marmite.

Dans l'autocuiseur, chauffer l'huile et faire sauter l'ail, le poivron, les carottes et les asperges 4 minutes, ou jusqu'à ce que les légumes soient tendres mais encore croquants. Remettre le riz et incorporer les autres ingrédients sauf les graines de sésame. Bien remuer, transférer dans un plat, parsemer de graines de sésame et servir.

CHILI VÉGÉTARIEN

LORSQU'ON FAIT CUIRE ENSEMBLE PLUSIEURS VARIÉTÉS DE HARICOTS SECS À L'AUTOCUISEUR,
IL FAUT S'ASSURER QU'ILS REQUIÈRENT TOUS LE MÊME TEMPS DE CUISSON.

Faire tremper les deux sortes de haricots secs dans de l'eau bouillante pendant 1 heure, égoutter et réserver.

Dans l'autocuiseur, chauffer l'huile et faire sauter l'oignon, l'ail et les piments 3 minutes. Ajouter les tomates, les gourganes et le thym puis les haricots égouttés.

Délayer la pâte de tomate dans 450 ml/3/4 pt de bouillon, verser dans le cuiseur et porter à ébullition. Fermer le couvercle, amener à une pression de 6,8 kg/15 lb et cuire 7 minutes. Décompresser lentement puis incorporer les champignons.

Garnir le panier de papier d'aluminium et y mettre le riz. Mouiller avec le reste du bouillon, couvrir de papier d'aluminium et attacher.

Placer le support sur les haricots puis le riz par-dessus. Fermer le couvercle et ramener à une pression de 6,8 kg/15 lb. Cuire 5 minutes puis décompresser lentement. Retirer le riz et le dresser sur un plat chaud. Assaisonner les haricots et servir sur le riz, parsemé de persil.

4 à 6 *personnes*
Niveau de pression: **6,8 kg/15 lb**
Préparation: **10 minutes, plus**
  1 heure de trempage
Cuisson à découvert: **3 minutes**
Cuisson sous pression: **12 minutes**

225 g/8 oz de haricots rouges secs
100 g/4 oz de flageolets secs
1 c. à table d'huile
1 oignon moyen, pelé et tranché
3 à 4 gousses d'ail pelées et tranchées
2 à 3 piments serrano épépinés et tranchés
225 g/ 8 oz de tomates pelées et hachées
100 g/4 oz de gourganes (fèves des marais) écossées
1 c. à table de thym frais haché
1 c. à table de pâte de tomate
900 ml/1 1/2 pt de bouillon de légumes
100 g/4 oz de petits champignons blancs, essuyés et tranchés épais
225 g/8 oz de riz à grains longs
Sel et poivre noir du moulin

GARNITURE
2 c. à table de persil frais haché

SALADE DE HARICOTS SECS
ASSAISONNEMENT AUX PACANES

POUR QUE LES PACANES S'AMALGAMENT BIEN À L'ASSAISONNEMENT, IL FAUT LES PASSER AU MÉLANGEUR AVEC LES FINES HERBES JUSQU'À CE QU'ELLES SOIENT FINEMENT HACHÉES OU BIEN LES COUPER TRÈS MENU EN MÊME TEMPS QUE LES HERBES SUR UNE PLANCHE À DÉCOUPER.

Mettre tous les haricots dans un grand récipient et recouvrir largement d'eau bouillante. Laisser tremper 1 heure puis égoutter et mettre dans l'autocuiseur avec 900 ml/1 1/2 pt d'eau froide.

Fermer le couvercle et amener à une pression de 6,8 kg/15 lb. Cuire 10 minutes puis décompresser lentement. Égoutter les haricots et les mettre dans un grand saladier.

Ajouter les oignons verts, le céleri, les carottes et les tomates cerises puis mélanger délicatement.

Mettre huile d'olive, jus d'orange, sel, poivre, ail, zeste d'orange, fines herbes et pacanes hachées dans un pot à couvercle qui visse et secouer vigoureusement jusqu'à ce que le mélange soit homogène. Verser sur la salade, mélanger pour enrober un peu les haricots de sauce et servir.

6 à 8 *personnes*
Niveau de pression: **6,8 kg/15 lb**
Préparation: **12 minutes, plus**
1 heure de trempage
Cuisson sous pression: **10 minutes**

100 g/4 oz de haricots romains secs
100 g/4 oz de haricots rouges ou de doliques à œil noir secs
100 g/4 oz de haricots blancs fins secs (cannellini)
8 oignons verts hachés
3 branches de céleri finement hachées
2 carottes moyennes râpées
175 g/6 oz de tomates cerises coupées en quatre
6 c. à table d'huile d'olive
4 c. à table de jus d'orange
Sel et poivre noir du moulin
2 gousses d'ail pelées et écrasées
1 c. à table de zeste d'orange râpé
2 c. à table de coriandre fraîche hachée
1 c. à table de persil plat frais haché
75 g/3 oz de pacanes finement hachées

RISOTTO AUX CHAMPIGNONS DES BOIS

AVANT D'UTILISER DES CHAMPIGNONS SÉCHÉS, IL EST IMPORTANT DE BIEN LES RÉHYDRATER. L'EAU QUE VOUS VERSEZ SUR LES CHAMPIGNONS NE DOIT PAS BOUILLIR ET IL FAUT LES LAISSER TREMPER AU MINIMUM 20 MINUTES.

Mettre les champignons séchés dans un petit récipient et recouvrir d'eau presque à ébullition. Laisser tremper 20 minutes, égoutter les champignons en récupérant le liquide et laisser en attente.

Mettre le riz dans l'autocuiseur et mouiller avec 1,5 litre/3 pt d'eau froide. Fermer le couvercle et amener à une pression de 6,8 kg/15 lb. Cuire 2 minutes, décompresser lentement, égoutter le riz et réserver. Essuyer la marmite.

Dans l'autocuiseur, chauffer l'huile et faire revenir l'ail, les piments et l'oignon 3 minutes. Ajouter les poivrons et les champignons des bois et faire revenir 1 minute. Incorporer les champignons réhydratés et les champignons blancs. Délayer la pâte de tomate dans l'eau de trempage des champignons et verser dans le cuiseur en même temps que le bouillon de légumes. Fermer le couvercle et amener à une pression de 6,8 kg/15 lb. Décompresser lentement, ajouter le sel et le poivre ainsi que le persil haché. Bien mélanger et servir garni de copeaux de parmesan.

4 *personnes*
Niveau de pression: **6,8 kg/15 lb**
Préparation: **10 minutes, plus**
   20 minutes de trempage
Cuisson à découvert: **4 minutes**
Cuisson sous pression: **2 minutes**

15 g/^{1}/$_2$ oz de cèpes séchés
225 g/8 oz de riz à grains longs
1 c. à table d'huile
6 gousses d'ail pelées et hachées
2 piments jalapeño rouges, épépinés et hachés
1 oignon moyen, pelé et haché
1 poivron rouge, épépiné et haché
1 poivron jaune, épépiné et haché
350 g/12 oz de champignons des bois, brossés et tranchés s'ils sont gros
100 g/4 oz de petits champignons blancs, essuyés et tranchés
2 c. à table de pâte de tomate
120 ml/4 oz de bouillon de légumes
Sel et poivre noir du moulin
2 c. à table de persil plat frais haché

GARNITURE
Copeaux de parmesan

BOULGHOUR PILAF

SI VOUS N'AVEZ PAS DE BÂTONNET DE CANNELLE, VOUS POUVEZ UTILISER
1 À 1 1/2 CUILLERÉE À THÉ DE CANNELLE EN POUDRE.

Dans l'autocuiseur, chauffer l'huile et faire revenir l'ail, l'oignon, l'aubergine et le bâtonnet de cannelle 3 minutes. Ajouter le poivron rouge, le zeste d'orange et la moitié des tomates cerises et verser 300 ml/1/2 pt du mélange de jus d'orange et d'eau. Mettre le support sur les légumes.

Tapisser le panier de papier d'aluminium et y mettre le boulghour. Mouiller avec le reste de jus d'orange et d'eau, couvrir de papier d'aluminium et attacher. Déposer sur le support.

Fermer le couvercle et amener à une pression de 6,8 kg/15 lb. Cuire 5 minutes puis décompresser lentement.

Retirer le panier du cuiseur, mettre le boulghour dans un saladier et l'égrener à la fourchette. Égoutter les légumes et les incorporer au boulghour en même temps que le reste de tomates, le paprika, l'assaisonnement et les amandes. Mélanger un peu, saupoudrer de coriandre hachée et servir.

4 *personnes*
Niveau de pression: **6,8 kg/15 lb**
Préparation: **15 minutes**
Cuisson à découvert: **3 minutes**
Cuisson sous pression: **5 minutes**

2 c. à table d'huile d'olive
3 à 4 gousses d'ail pelées et écrasées
1 oignon moyen, pelé et haché
1 aubergine moyenne, d'environ
   350 g/12 oz, coupée en dés
1 bâtonnet de cannelle un peu écrasé
1 poivron rouge, épépiné et haché
1 c. à table de zeste d'orange râpé
225 g/8 oz de tomates cerises
600 ml/1 pt d'un mélange de jus
   d'orange et d'eau
225 g/8 oz de boulghour
1 c. à thé de paprika
Sel et poivre noir du moulin
2 c. à table d'amandes effilées grillées

GARNITURE
1 c. à table de coriandre fraîche hachée

PÂTES AUX FRUITS ET AUX HARICOTS

IL PEUT SEMBLER BIZARRE DE FAIRE CUIRE DES PÂTES DANS DU JUS D'ORANGE,
MAIS SI VOUS TENTEZ L'EXPÉRIENCE, VOUS ALLEZ ADORER!

Faire tremper les haricots secs dans de l'eau bouillante pendant 1 heure puis les mettre dans l'autocuiseur. Ajouter 600 ml/ 1 pt d'eau et porter à ébullition. Écumer, réduire le feu jusqu'à faible ébullition et fermer le couvercle. Amener à une pression de 6,8 kg/15 lb et cuire 10 minutes. Décompresser lentement, égoutter les haricots et réserver.

Rincer le cuiseur, chauffer l'huile et faire revenir l'oignon, le fenouil et les abricots secs, 2 minutes. Ajouter les raisins secs, une des deux pommes et le zeste d'orange. Verser 300 ml/½ pt du mélange de jus d'orange et d'eau. Mettre le support par-dessus.

Garnir le panier de papier d'aluminium et y mettre les pâtes. Mouiller avec le reste de jus d'orange et d'eau. Déposer sur le support.

Fermer le couvercle, amener à une pression de 6,8 kg/15 lb et cuire 2 minutes.

Décompresser lentement, égoutter les pâtes au besoin et mettre dans un saladier. Ajouter le mélange de fenouil et de fruits, l'autre pomme, les oignons verts, les haricots rouges, le sel, le poivre et la coriandre hachée. Mélanger un peu et servir saupoudré de fromage râpé.

3 à 4 *personnes*
Niveau de pression: **6,8 kg/15 lb**
Préparation: **10 minutes, plus**
   1 heure de trempage
Cuisson à découvert: **2 minutes**
Cuisson sous pression: **2 minutes**

175 g/6 oz de haricots rouges secs
1 c. à table d'huile d'olive
1 oignon moyen, pelé et haché
1 bulbe de fenouil, d'environ 225 g/8 oz, haché
75 g/3 oz d'abricots secs hachés
50 g/2 oz de raisins secs

2 pommes pelées, évidées et coupées en dés
1 c. à table de zeste d'orange râpé
750 ml/1 ¼ pt d'un mélange de jus d'orange et d'eau
175 g/6 oz de pâtes de fantaisie sèches
6 oignons verts tranchés
Sel et poivre noir du moulin
2 c. à table de coriandre fraîche hachée

GARNITURE
Fromage râpé tel que cheddar

LENTILLES VERTES DU PUY ET RIZ PILAF

LES LENTILLES VERTES DU PUY, QUI ONT LA RÉPUTATION D'ÊTRE LES MEILLEURES DE TOUTES, EXISTENT EN DIFFÉRENTES GROSSEURS. TOUT COMME LES LENTILLES BRUNES, ELLES RESTENT ENTIÈRES UNE FOIS CUITES.

Couvrir les lentilles d'eau bouillante, faire tremper 10 minutes puis égoutter.

Dans l'autocuiseur, chauffer l'huile et faire sauter l'ail et l'oignon 3 minutes. Ajouter les carottes et le poivron et continuer de faire sauter 2 minutes.

Ajouter les lentilles égouttées ainsi que le bâtonnet de cannelle, l'origan et les tomates. Bien mélanger. Verser 150 ml/$\frac{1}{4}$ pt de bouillon. Placer le support dans le cuiseur.

Tapisser le panier de papier d'aluminium et mettre le riz. Mouiller avec le reste du bouillon. Couvrir de papier d'aluminium et attacher. Poser sur le support et fermer le couvercle.

Amener à une pression de 6,8 kg/15 lb et cuire 3 minutes. Décompresser lentement, retirer le panier et égrener le riz à la fourchette.

Assaisonner le mélange aux lentilles, retirer le bâtonnet de cannelle, incorporer au riz et servir parsemé d'origan.

4 *personnes*
Niveau de pression: **6,8 kg/15 lb**
Préparation: **10 minutes, plus**
   10 minutes de trempage
Cuisson à découvert: **5 minutes**
Cuisson sous pression: **3 minutes**

175 g/6 oz de lentilles vertes du Puy
1 c. à table d'huile d'olive
4 gousses d'ail pelées et écrasées
1 oignon moyen, pelé et haché
2 carottes moyennes, pelées et coupées en tronçons
1 poivron vert, épépiné et haché
1 bâtonnet de cannelle un peu écrasé
1 c. à table d'origan frais haché
4 tomates moyennes, hachées
450 ml/$\frac{3}{4}$ pt de bouillon de légumes
175 g/6 oz de riz basmati
Sel et poivre noir du moulin

GARNITURE
Origan frais haché

PÂTES AUX ÉPICES

POUR FOURNIR UNE SAVEUR OPTIMALE, LES ÉPICES DOIVENT ÊTRE AUSSI FRAÎCHES QUE POSSIBLE.
IL EST PRÉFÉRABLE DE LES BROYER À L'AIDE D'UN MORTIER ET D'UN PILON AU FUR ET À MESURE DE
SES BESOINS. SINON, IL FAUT CONSERVER LES ÉPICES MOULUES DANS UN PLACARD SOMBRE ET FRAIS
ET LES ACHETER EN PETITES QUANTITÉS POUR LES UTILISER RAPIDEMENT.

Dans l'autocuiseur, chauffer l'huile et faire revenir l'ail, l'oignon, le fenouil et les piments, 3 minutes. Saupoudrer les épices, le sel et le poivre et cuire 1 minute. Mouiller avec 300 ml/1/2 pt de bouillon. Placer le support dans le cuiseur.

Tapisser le panier de papier d'aluminium, mettre les pâtes, verser le reste de bouillon, recouvrir d'une double épaisseur de papier ciré et poser sur le support.

Fermer le couvercle, amener à une pression de 6,8 kg/15 lb et cuire 2 minutes. Décompresser rapidement, égoutter les pâtes et ajouter dans le cuiseur les cœurs d'artichauts, les haricots verts et les pois mange-tout. Fermer le couvercle et ramener à une pression de 6,8 kg/15 lb. Décompresser lentement, rectifier l'assaisonnement, incorporer la coriandre fraîche et servir.

4 *personnes*
Niveau de pression: **6,8 kg/15 lb**
Préparation: **10 minutes**
Cuisson à découvert: **4 minutes**
Cuisson sous pression: **2 minutes**

1 c. à table d'huile
4 gousses d'ail pelées et hachées
1 oignon moyen, pelé et émincé
1 bulbe de fenouil haché
1 à 2 piments serrano verts, épépinés et hachés
1 c. à thé de coriandre en poudre
1 c. à thé de cumin en poudre
1 c. à thé de gingembre en poudre
Sel et poivre noir du moulin
750 ml/1 1/4 pt de bouillon de légumes
175 g/6 oz de pâtes de fantaisie sèches
400 g/14 oz de cœurs d'artichauts en conserve, égouttés et tranchés
100 g/4 oz de haricots verts coupés en deux
100 g/4 oz de pois mange-tout
1 c. à table de coriandre fraîche hachée

COUSCOUS AUX LÉGUMES

ON TROUVE MAINTENANT FACILEMENT DU COUSCOUS PRÉCUIT. IL FAUT BIEN L'ÉGRENER AVANT DE LE SERVIR.

Dans l'autocuiseur, chauffer l'huile et faire revenir l'ail, l'oignon, les tomates séchées et l'aubergine 2 minutes. Ajouter les autres légumes frais et bien mélanger. Incorporer les tomates broyées avec leur jus à 150 ml/¼ pt de bouillon, le sel, le poivre et 1 cuillerée à table de basilic haché. Mélanger un peu. Placer le support sur les légumes.

Tapisser le panier de papier d'aluminium, mettre le couscous et mouiller avec le reste de bouillon. Couvrir de papier d'aluminium et attacher. Poser sur le support et fermer le couvercle.

Amener à une pression de 6,8 kg/15 lb et cuire 3 minutes. Décompresser lentement, retirer le couscous et le mettre dans un saladier. Ajouter le reste de basilic et le beurre ramolli et égrener à la fourchette.

Dresser les légumes sur un plat chaud, garnir de lanières de basilic et servir avec le couscous.

4 *personnes*
Niveau de pression: **6,8 kg/15 lb**
Préparation: **15 minutes**
Cuisson à découvert: **2 minutes**
Cuisson sous pression: **3 minutes**

2 c. à table d'huile d'olive
3 à 4 gousses d'ail pelées et écrasées
1 oignon rouge, pelé et coupé en quartiers
2 c. à table de tomates séchées au soleil, hachées
1 aubergine moyenne, coupée en dés
1 poivron rouge, épépiné et coupé en gros morceaux

1 poivron jaune, épépiné et coupé en gros morceaux
2 courgettes moyennes, coupées en tronçons
400 g/14 oz de tomates broyées en conserve
300 ml/½ pt de bouillon de légumes, presque à ébullition
Sel et poivre noir du moulin
2 c. à table de basilic frais haché
225 g/8 oz de couscous
3 c. à table de beurre mou

GARNITURE
Lanières de basilic

RIZ BRUN AU BASILIC

CETTE RECETTE PEUT FAIRE OFFICE DE PLAT PRINCIPAL VÉGÉTARIEN OU BIEN
SERVIR D'ACCOMPAGNEMENT À DES STEAKS OU DES CÔTELETTES.

Mettre le riz dans l'autocuiseur et ajouter 1,5 litre/3 pt d'eau et du sel. Fermer le couvercle et amener à une pression de 6,8 kg/15 lb. Cuire 4 minutes, décompresser lentement, égoutter le riz et réserver. Essuyer la marmite.

Dans le cuiseur, chauffer l'huile et faire sauter les poireaux, l'ail et les champignons 2 minutes. Ajouter les tomates et le brocoli et mouiller avec le bouillon. Fermer le couvercle, ramener à une pression de 6,8 kg/15 lb et cuire 2 minutes. Décompresser rapidement et enlever l'excédent de bouillon. Mettre dans un saladier et incorporer le riz cuit. Mélanger l'huile d'olive avec le zeste et le jus de citron. Ajouter le sel et le poivre ainsi que le basilic. Verser sur le riz, mélanger un peu et servir.

6 *personnes*
Niveau de pression: **6,8 kg/15 lb**
Préparation: **15 minutes**
Cuisson à découvert: **2 minutes**
Cuisson sous pression: **6 minutes**

225 g/8 oz de riz brun
Sel et poivre noir du moulin
2 c. à table d'huile
2 gros poireaux tranchés
4 gousses d'ail pelées et hachées
225 g/8 oz de tout petits
  champignons blancs, essuyés
4 tomates moyennes, épépinées
  et hachées
175 g/6 oz de brocoli défait en
  bouquets
300 ml/1/2 pt de bouillon de
  légumes
3 c. à table d'huile d'olive
1 c. à table de zeste de citron
  râpé
2 c. à table de jus de citron
2 c. à table de basilic frais haché

HOUMMOS

CE METS TYPIQUE DU MOYEN-ORIENT EST DEVENU TRÈS POPULAIRE EN OCCIDENT; IL PEUT FAIRE UNE DÉLICIEUSE TREMPETTE OU ENCORE UN HORS-D'ŒUVRE SAIN ET NOURRISSANT À LA FOIS.

Recouvrir les pois chiches d'eau bouillante et laisser tremper 1 heure. Égoutter et mettre dans l'autocuiseur avec 900 ml/1 1/2 pt d'eau froide. Faire bouillir et écumer. Ajouter l'ail, le zeste de citron, le cumin et la poudre de chili. Baisser un peu le feu et fermer le couvercle. Amener à une pression de 6,8 kg/15 lb et cuire 20 minutes.

Décompresser lentement, égoutter les pois chiches et mettre dans un robot culinaire. Ajouter le jus de citron et le tahini et réduire en une purée grossière. L'appareil toujours en marche, verser peu à peu de l'huile d'olive jusqu'à l'obtention d'une purée onctueuse. Saler et poivrer.

Mettre dans un petit bol, parsemer de pignons grillés et de paprika et servir accompagné de pain pita chaud.

8 *personnes*
Niveau de pression: **6,8 kg/15 lb**
Préparation: **10 minutes, plus**
  1 heure de trempage
Cuisson sous pression: **20 minutes**

225 g/8 oz de pois chiches secs
4 à 6 gousses d'ail pelées
1 à 1 1/2 c. à table de zeste de citron râpé
1 c. à thé de cumin en poudre
1 c. à thé de poudre de chili douce
3 c. à table de jus de citron
2 à 3 c. à table de tahini (pâte de sésame)
Environ 300 ml/1/2 pt d'huile d'olive
Sel et poivre noir du moulin

GARNITURE
2 c. à table de pignons grillés et paprika

ACCOMPAGNEMENT
Pain pita chaud

DESSERTS
ET CONSERVES

PUDDINGS RENVERSÉS AU CHOCOLAT

VOICI UN DESSERT RAFFINÉ À METTRE AU MENU LORSQU'ON REÇOIT.

Huiler légèrement et chemiser le fond de quatre ramequins (il faut vérifier qu'ils vont loger tous ensemble dans l'autocuiseur). Brasser le chocolat pour qu'il n'ait pas de grumeaux et laisser refroidir.

Dans un bol, battre le beurre avec la cassonade puis ajouter peu à peu les œufs en alternant avec un peu de farine. Une fois tous les œufs incorporés, joindre le chocolat fondu et le reste de farine. Bien mélanger, répartir dans les quatre ramequins et lisser le dessus. Couvrir chaque ramequin d'une double épaisseur de papier ciré ou de papier d'aluminium huilé en faisant un pli au milieu et attacher solidement avec de la ficelle.

Placer la grille et verser 900 ml/1 1/2 pt d'eau bouillante et 2 cuillerées à thé de jus de citron. Poser les ramequins sur la grille. Fermer le couvercle et étuver 5 minutes.

Amener l'autocuiseur à une pression de 6,8 kg/15 lb, cuire 7 minutes puis laisser la vapeur s'échapper lentement, durant environ 10 minutes. Renverser les puddings sur une assiette et servir poudrés de sucre glace et accompagnés de fruits rouges et, au choix, d'un coulis de fruits rouges ou d'une sauce au chocolat. (Si on utilise du papier d'aluminium, ajouter 3 minutes de cuisson.)

4 *personnes*
Niveau de pression: **6,8 kg/15 lb**
Préparation: **10 à 15 minutes**
Étuvage: **5 minutes**
Cuisson sous pression: **7 minutes**

50 g/2 oz de chocolat noir, fondu
100 g/4 oz de beurre non salé
100 g/4 oz de cassonade dorée
2 petits œufs battus
100 g/4 oz de farine avec levure incorporée

GARNITURE
Sucre glace

ACCOMPAGNEMENT
Fruits rouges frais, et sauce au chocolat ou coulis de fruits rouges

PUDDING CARAMEL AU BEURRE

VOICI UN GÂTEAU DES PLUS RÉCONFORTANTS PAR UNE JOURNÉE FROIDE.

Huiler un moule à pudding d'une contenance de 900 ml/1 ¹/2 pt et placer dans le fond un rond de papier ciré huilé. Laisser en attente.

Battre le beurre avec la cassonade puis ajouter graduellement les œufs en alternant avec un peu de farine. Une fois tous les œufs ajoutés, incorporer la mélasse puis le reste de farine, les dattes et les pacanes.

Verser dans le moule en ne le remplissant qu'aux deux tiers. Couvrir d'une double épaisseur de papier ciré et attacher solidement avec de la ficelle fine.

Placer la grille dans l'autocuiseur et poser le moule par-dessus.

Verser 900 ml/1 ¹/2 pt d'eau bouillante et ajouter 2 cuillerées à thé de jus de citron. Fermer le couvercle et étuver 15 minutes. Amener à une pression de 4,5 kg/10 lb et cuire de 25 à 30 minutes.

Décompresser lentement, ôter le couvercle, retirer délicatement le gâteau et le démouler sur un plat.

Entre-temps, préparer la sauce en faisant fondre ensemble le beurre, la cassonade et la mélasse; remuer souvent. Une fois la cassonade dissoute, incorporer peu à peu la crème, porter à ébullition et faire bouillir à feu doux 2 minutes. Servir le gâteau nappé de sauce et garni de pacanes, si désiré.

6 *personnes*
Niveau de pression: **4,5 kg/10 lb**
Préparation: **10 minutes**
Étuvage: **15 minutes**
Cuisson sous pression: **25 à 30 minutes**

GÉNOISE
2 c. à thé d'huile
100 g/4 oz de beurre non salé
100 g/4 oz de cassonade foncée
2 œufs moyens battus
100 g/4 oz de farine avec levure incorporée

2 c. à table de mélasse claire
100 g/4 oz de dattes dénoyautées hachées
50 g/2 oz de pacanes hachées

SAUCE
50 g/2 oz de beurre non salé
50 g/2 oz de cassonade foncée
2 c. à table de mélasse claire
250 ml/8 oz de crème 35 %

GARNITURE
Pacanes (facultatif)

CRÈME BRÛLÉE
À L'ORANGE ET À L'ABRICOT

CETTE RECETTE PEUT SE FAIRE AVEC D'AUTRES FRUITS, PAR EXEMPLE DES CANNEBERGES OU DES BLEUETS SÉCHÉS OU MÊME LES DEUX MÉLANGÉS. DES FRUITS FRAIS CONVIENNENT ÉGALEMENT; ILS DOIVENT CEPENDANT ÊTRE BIEN FERMES POUR NE PAS S'ÉCRASER À LA CUISSON.

Huiler légèrement quatre ramequins d'une contenance de 150 ml/1/4 pt. Disposer les abricots secs dans le fond et laisser en attente. Faire chauffer la crème avec le zeste d'orange et l'eau de fleur d'oranger jusque sous le point d'ébullition, retirer du feu et réserver.

Battre les jaunes d'œufs avec le sucre en poudre jusqu'à ce que le mélange soit crémeux puis incorporer la crème en fouettant. Verser sur les abricots, couvrir chaque ramequin d'une double épaisseur de papier ciré et attacher.

Mettre la grille dans l'autocuiseur et verser 300 ml/1/2 pt d'eau bouillante et le jus de citron. Poser les ramequins sur la grille, fermer le couvercle et amener à une pression de 6,8 kg/15 lb. Cuire 4 minutes et décompresser lentement.

Enlever délicatement le papier ciré et mettre les desserts au frais pendant au moins 4 heures.

Saupoudrer le dessus de la crème de cassonade, mettre sous le gril préchauffé et cuire, en tournant fréquemment les ramequins, jusqu'à ce que la cassonade fonde et caramélise. Remettre au frais avant de servir. Garnir de feuilles de menthe et d'abricots.

(Il se peut que quatre ramequins ne logent pas dans l'autocuiseur; si tel est le cas, procéder en deux fois ou utiliser de tout petits ramequins.)

4 *personnes*
Niveau de pression: **6,8 kg/15 lb**
Préparation: **5 minutes, plus le temps de la réfrigération**
Cuisson à découvert: **4 minutes**
Cuisson sous pression: **4 minutes**

75 g/3 oz d'abricots secs hachés
600 ml/1 pt de crème à fouetter
1 c. à table de zeste d'orange râpé finement
1 c. à table d'eau de fleur d'oranger
4 gros jaunes d'œufs
1 c. à table de sucre en poudre
1 c. à table de jus de citron
50 g/2 oz de cassonade

GARNITURE
Feuilles de menthe et tranches d'abricots frais ou d'abricots secs

POIRES AU BOURGOGNE BLANC

IL FAUT CHOISIR DES POIRES FERMES À PEU PRÈS TOUTES DE LA MÊME GROSSEUR QUI PUISSENT LOGER SANS ÊTRE SERRÉES DANS L'AUTOCUISEUR. POUR LES ACCOMPAGNER, ON PEUT ESSAYER DIVERS PARFUMS DE CRÈME GLACÉE.

6 *personnes*

Niveau de pression: **6,8 kg/15 lb**

Préparation: **5 minutes**

Cuisson à découvert: **3 minutes**

Cuisson sous pression: **3 minutes**

6 poires

1 petite orange

300 ml/1/2 pt de bourgogne blanc

6 clous de girofle

2 bâtonnets de cannelle un peu écrasés

50 g/2 oz de sucre

2 c. à table de brandy

GARNITURE

Feuilles de menthe et lanières de zeste d'une autre orange

ACCOMPAGNEMENT

Biscuits et crème glacée à la vanille

Peler les poires le plus finement possible tout en conservant la queue. Laisser en attente. Prélever le zeste de l'orange et la presser.

Mettre les poires dans l'autocuiseur ainsi que le zeste et le jus de l'orange, le vin, les clous de girofle, la cannelle et le sucre. Arroser les poires à plusieurs reprises avec le vin puis fermer le couvercle. Amener à une pression de 6,8 kg/ 15 lb et cuire 3 minutes.

Décompresser lentement, ôter le couvercle et retirer les poires. Dresser sur un plat de service.

Ajouter le brandy au jus de cuisson des poires, porter rapidement à ébullition et laisser bouillir 3 minutes. Filtrer au-dessus des poires, laisser refroidir et mettre au frais jusqu'au moment de servir.

Garnir avec des feuilles de menthe et des lanières de zeste d'orange et servir accompagné de biscuits et de crème glacée.

PUDDING AU CITRON

UNE FOIS CUIT, CE GÂTEAU SE SÉPARE EN DEUX: UNE EXQUISE SAUCE AU CITRON EST SURMONTÉE D'UNE GÉNOISE LÉGÈRE ET MOELLEUSE.

6 *personnes*

Niveau de pression: **4,5 kg/10 lb**

Préparation: **12 minutes**

Étuvage: **15 minutes**

Cuisson sous pression: **10 minutes**

100 g/4 oz de beurre non salé ramolli

200 g/7 oz de sucre en poudre

2 œufs moyens battus

75 g/3 oz de farine avec levure incorporée

2 c. à table de zeste de citron finement râpé

2 c. à table d'amandes moulues

1/2 c. à thé de poudre à pâte tamisée

6 c. à table de jus de citron

GARNITURE

1 c. à table de sucre glace

Huiler légèrement un plat allant au four d'une contenance de 1,5 litre/3 pt. Dans un bol, battre le beurre avec 100g/4 oz de sucre en poudre jusqu'à ce que la préparation soit légère et mousseuse puis ajouter peu à peu les œufs, en alternant à chaque fois avec 2 cuillerées à thé de farine.

Une fois tous les œufs ajoutés, incorporer 1 cuillerée à table de zeste de citron ainsi que le reste de farine, les amandes moulues et la poudre à pâte. Verser dans le plat.

Mélanger le reste de sucre et de zeste et 4 cuillerées à table de jus de citron et 300 ml/1/2 pt d'eau bouillante et verser dans le plat. Couvrir d'une double épaisseur de papier ciré en faisant un pli au centre et attacher.

Placer la grille dans l'autocuiseur et ajouter le reste du jus de citron. Mettre le plat dans la marmite et verser 900 ml/1 1/2 pt d'eau bouillante.

Fermer le couvercle et étuver 15 minutes. Amener à une pression de 4,5 kg/10 lb et cuire 10 minutes. Décompresser lentement et servir poudré de sucre glace.

COMPOTE DE FRUITS SECS

CHOISISSEZ VOS FRUITS SECS PRÉFÉRÉS ET
NE LÉSINEZ PAS SUR LA CRÈME!

4 à 6 *personnes*
Niveau de pression: **6,8 kg/15 lb**
Préparation: **3 minutes, plus**
   10 minutes de trempage
Cuisson sous pression: **10 minutes**

225 g/8 oz de salade de fruits
   secs
225 g/8 oz de figues ou
   d'abricots séchés

4 à 5 graines de cardamome
   un peu écrasées
50 g/2 oz de cassonade dorée
2 c. à table de brandy

ACCOMPAGNEMENT
Crème légèrement fouettée et
   biscuits

Mettre les fruits secs et séchés dans un bol, couvrir avec 900 ml/
1 1/2 pt d'eau bouillante et laisser tremper 10 minutes.

Égoutter en récupérant l'eau de trempage. Disposer les fruits en
couches dans l'autocuiseur, en même temps que les graines de
cardamome et la cassonade. Mouiller avec l'eau de trempage et le
brandy. Fermer le couvercle et amener à une pression de 6,8 kg/
15 lb. Cuire 10 minutes puis décompresser lentement.

Retirer de l'autocuiseur et servir chaud ou froid accompagné de
crème ainsi que de biscuits.

CHUTNEY BARBECUE

CE DÉLICIEUX CHUTNEY ACCOMPAGNE À MERVEILLE
LA PLUPART DES VIANDES ET MÊME DU FROMAGE.

1,5 kg/3 lb
Niveau de pression: **4,5 kg/10 lb**
Préparation: **15 minutes**
Cuisson à découvert: **20 minutes**
Cuisson sous pression: **10 minutes**

675 g/1 1/2 lb de pommes à
   cuire, pelées, évidées et
   hachées
900 g/2 lb de tomates mûres
   mais fermes, hachées
1 gros oignon pelé et haché

4 gousses d'ail pelées et
   écrasées
2 à 3 chilis rouges, épépinés
   et hachés
2 c. à thé de moutarde à
   l'ancienne
2 c. à table de pâte de tomate
450 ml/3/4 pt de vinaigre de
   vin rouge
225 g/8 oz de cassonade
   foncée
2 c. à table de coriandre
   fraîche hachée

Mettre les pommes, les tomates, l'oignon, l'ail et les chilis dans
l'autocuiseur. Incorporer la moutarde, la pâte de tomate et
300 ml/1/2 pt de vinaigre. Bien mélanger, fermer le couvercle,
amener à une pression de 4,5 kg/10 lb et cuire 10 minutes.

Décompresser lentement puis incorporer le reste de vinaigre, la
cassonade et la coriandre hachée. Mettre sur feu doux et remuer
jusqu'à ce que la cassonade soit dissoute.

Augmenter le feu et faire bouillir 20 minutes environ, ou jusqu'à
consistance épaisse. Verser dans des pots stérilisés et chauds et
couvrir avec des ronds de papier ciré. Après refroidissement complet,
mettre un couvercle, étiqueter et conserver dans un endroit sombre
et frais. Consommer dans les 3 mois.

TARTINADE AU CITRON

UNE TARTINADE AU CITRON MAISON SUR UNE TRANCHE DE PAIN FRAIS GRILLÉ... UN PUR DÉLICE!

Battre les œufs et passer au-dessus d'un bol qui loge largement dans l'autocuiseur. Incorporer le sucre, le zeste et le jus de citron. Couper le beurre en petits morceaux, le mettre dans le bol et couvrir d'une double épaisseur de papier ciré. Attacher solidement autour du bord avec de la ficelle.

Verser 450 ml/3/4 pt d'eau et 2 cuillerées à thé de jus de citron dans le cuiseur. Placer le support, poser le bol par-dessus et fermer le couvercle.

Amener à une pression de 6,8 kg/15 lb et cuire 10 minutes. Laisser la vapeur s'échapper lentement. Retirer délicatement le papier ciré, fouetter la tartinade (elle peut avoir coagulé un peu) jusqu'à ce qu'elle soit de nouveau épaisse et onctueuse. Verser dans un pot stérilisé et chaud. Fermer à l'aide d'un couvercle hermétique et conserver au réfrigérateur jusqu'à une semaine.

Un pot de 450 g/1 lb
Niveau de pression: **6,8 kg/15 lb**
Préparation: **12 à 15 minutes**
Cuisson sous pression: **10 minutes**

3 œufs moyens
225 g/8 oz de sucre en poudre
Zeste finement râpé de 2 citrons
   (de préférence non cirés)
3 c. à table de jus de citron
50 g/2 oz de beurre non salé

CHUTNEY À L'ABRICOT

EN PLUS DE VOUS DONNER L'OCCASION D'UTILISER LES FRUITS ET LES LÉGUMES DE VOTRE JARDIN,
CETTE RECETTE VOUS PERMET D'EXPÉRIMENTER DIFFÉRENTES SAVEURS.

Quatre pots de 450 g/1 lb
Niveau de pression: **6,8 kg/15 lb**
Préparation: **10 minutes, plus 10 minutes de trempage**
Cuisson à découvert: **5 à 10 minutes**
Cuisson sous pression: **10 minutes**

450 g/1 lb d'abricots secs
450 g/1 lb de pommes à cuire, pelées, évidées et
   hachées
225 g/8 oz de raisins secs
1 gros oignon pelé et haché
2 à 3 chilis rouges, épépinés et hachés
2 c. à table de gingembre en poudre
Zeste râpé et jus d'1 citron
450 ml/³/4 pt de vinaigre de vin blanc
225 g/8 oz de cassonade dorée

Mettre les abricots dans un bol, recouvrir d'eau bouillante et laisser tremper 10 minutes. Égoutter et hacher puis mettre dans l'autocuiseur avec les pommes, les raisins secs, l'oignon, les chilis, le gingembre, le zeste et le jus de citron et 300 ml/¹/2 pt de vinaigre.

Bien mélanger, fermer le couvercle et amener à une pression de 6,8 kg/15 lb. Cuire 10 minutes puis décompresser lentement.

Incorporer le reste de vinaigre et la cassonade. Faire bouillir en remuant de temps en temps, 5 à 10 minutes ou jusqu'à consistance épaisse. Verser dans des pots stérilisés et chauds et fermer hermétiquement. Conserver au réfrigérateur jusqu'à 3 semaines.

MARMELADE D'AGRUMES

POUR FAIRE DE LA MARMELADE, LES ORANGES AMÈRES SONT LES MEILLEURES, MAIS LEUR SAISON EST COURTE. LORSQUE JE N'EN TROUVE PAS, JE FAIS CELLE-CI QUI EST ASSEZ FACILE À RÉALISER ET DÉLICIEUSE.

Sept pots de 450 g/1 lb
Niveau de pression: **6,8 kg/15 lb**
Préparation: **35 minutes**
Cuisson à découvert: **15 minutes**
Cuisson sous pression: **10 minutes**

2 grosses oranges
1 pamplemousse rose
2 citrons
1,75 kg/4 lb de sucre à confiture
1 c. à table de beurre

Laver les fruits, les couper en deux et les presser. Couper les fruits en quartiers. Ôter les pépins et la peau blanche, les mettre dans une mousseline et nouer solidement.

Mettre le jus des fruits, les quartiers de fruits, la mousseline et 600 ml/1 pt d'eau dans l'autocuiseur. Fermer le couvercle et amener à une pression de 6,8 kg/15 lb. Cuire 10 minutes puis décompresser rapidement.

Jeter la mousseline. Passer le jus et le remettre dans le cuiseur. Lorsque les fruits ont suffisamment refroidi pour pouvoir être manipulés, les détailler en lanières puis les remettre dans l'autocuiseur.

Ajouter le sucre et encore 300 ml/¹/2 pt d'eau. Remettre sur le feu et cuire en remuant fréquemment jusqu'à ce que le sucre soit dissous.

Ajouter le beurre, porter à ébullition et faire bouillir à feu vif jusqu'à ce que la marmelade ait pris. Écumer au besoin puis verser dans des pots stérilisés et chauds et fermer hermétiquement. Conserver au réfrigérateur jusqu'à 1 mois.

INDEX

Abricot(s)
Chutney à l'abricot 126-127
Crème brûlée à l'abricot et à l'orange 121
Ragoût de porc aux abricots 49
Rôti de dinde farci aux abricots et aux
canneberges 77

Agneau
Agneau aux haricots pinto 53
Agneau et pâtes à l'italienne 64
Étuvée d'agneau à l'aubergine 63
Feuilles de vigne farcies 58
Foie d'agneau au marsala 55

Ananas, Porc à l'ananas,
sauce aigre-douce 46

Asperges, Roulades de dinde aux asperges et
aux poivrons 86

Aubergine
Étuvée d'agneau à l'aubergine 63
Ratatouille niçoise 102

Bœuf
Bouillon de bœuf 24
Émincé de bœuf à la crème 56
Olivettes de bœuf 62
Pain de viande aux herbes 66
Pot-au-feu et boulettes de câpres 57
Rosbif épicé en cocotte 54

Bouillons 24, 25, 30

Boulghour
Boulghour pilaf 109
Étuvée d'agneau à l'aubergine 63

Canard aux figues et au porto 82

Canneberges
Poulet épicé aux canneberges
et à l'orange 81
Rôti de dinde farci aux abricots et aux
canneberges 77

Câpres, Pot-au-feu et boulettes de câpres 57

Carottes, Crème de carottes
et de lentilles 23

Chair à saucisse
Pain de viande aux herbes 66
Pâté fermier 60-61

Champignons sauvages
Crème de champignons sauvages 21
Risotto aux champignons des bois 108

Chou rouge
Chou rouge à la pomme et au carvi 97
Faisan au chou rouge 78

Chutney à l'abricot 126-127
Chutney barbecue 124

Citron
Poulet braisé au citron et au cumin 84
Pudding au citron 123
Tartinade au citron 125

Compote de fruits secs 124
Courge musquée en cocotte 90

Dinde
Dinde à la mode jamaïcaine 88
Dinde à l'estragon 71
Dinde cajun 75
Rôti de dinde farci aux abricots et aux
canneberges 77
Roulades de dinde aux asperges et aux
poivrons 86

Épinards
Sole farcie aux épinards et aux pignons 34
Vichyssoise aux pommes de terre et
épinards 30

Épis de maïs au beurre d'ail et de fines
herbes 93

Faisan
Civet de faisan aux haricots blancs
et aux olives 79
Faisan au chou rouge 78

Fenouil
Fantaisie au fenouil 98
Tajine de poulet aux gombos
et au fenouil 72

Feuilles de vigne farcies 58

Figues, Canard aux figues et au porto 82

Gombos
Mélange potager créole 96-97
Tajine de poulet aux gombos
et au fenouil 72

Haricots secs
Agneau aux haricots pinto 53
Cassoulet à l'américaine 52-53
Chili végétarien 106
Civet de faisan aux haricots blancs
et aux olives 79
Gaspacho aux haricots secs 27
Pâtes aux fruits et aux haricots 110
Ragoût de poulet aux doliques
à œil noir 85
Salade de haricots, assaisonnement aux
pacanes 107
Soupe mexicaine aux haricots pinto 18
Succotash aux gourganes et au jambon
fumé 101

Légumes
Bouillon de légumes 30
Couscous aux légumes 114
Légumes à la thaïe 98
Légumes d'hiver à l'orge perlé 91
Mélange potager créole 96-97
Miniracines glacées à l'érable 92
Ratatouille niçoise 102

Lentilles
Crème de carottes et de lentilles 23

Lentilles vertes du Puy et riz pilaf 112
Marmelade d'agrumes 127
Miniracines glacées à l'érable 92

Orange
Crème brûlée à l'abricot et à l'orange 121
Jambon au gingembre et à l'orange 61
Porc farci aux pruneaux et à l'orange 50
Poulet épicé aux canneberges
et à l'orange 81

Patates douces, Gratin dauphinois 95

Pâtes
Agneau et pâtes à l'italienne 64
Pâtes aux épices 113
Pâtes aux fruits et aux haricots 110
Salade tiède de pâtes au thon 40

Pignons
Sole farcie aux épinards et aux pignons 34
Soupe au pistou 26

Poires au bourgogne blanc 122-123

Pois chiches
Hoummos 116
Soupe de tomates et de pois chiches 28

Poissons
Bar à l'orientale 42
Bouillon de poisson 24
Églefin parfumé au coco 37
Morue à la provençale 38
Pilaf de haddock 41
Ragoût de lotte aux
légumes printaniers 44
Salade tiède de pâtes au thon 40
Saumon sauce aux champignons 32
Sole farcie aux épinards et aux pignons 34
Tranches de poisson épicées 35
Truite au beurre d'herbes 39

Poivron(s)
Roulades de dinde aux asperges
et aux poivrons 86
Velouté de poivron rouge grillé 29

Pomme, Chou rouge à la pomme
et au carvi 97

Pommes de terre
Gratin dauphinois 95
Pommes de terre nouvelles
aux échalotes 94
Vichyssoise aux pommes de terre
et épinards 30

Porc
Cassoulet à l'américaine 52-53
Côtes levées sauce barbecue 48-49
Cubes de porc au paprika 51
Jambon au gingembre et à l'orange 61
Pâté fermier 60-61
Porc à l'ananas, sauce aigre-douce 46
Porc farci aux pruneaux et à l'orange 50
Ragoût de porc aux abricots 49

Succotash aux gourganes et
au jambon fumé 101

Poulet
Blancs de poulet farcis aux amandes
et aux pacanes 70
Bouillon de poulet 25
Coq au vin 69
Poulet à la coriandre 71
Poulet braisé au citron et au cumin 84
Poulet chasseur 68
Poulet des Caraïbes 80
Poulet épicé aux canneberges
et à l'orange 81
Poussins aux kumquats 74
Ragoût de poulet aux doliques
à œil noir 85
Tajine de poulet aux gombos
et au fenouil 72

Pruneaux, Porc farci aux pruneaux
et à l'orange 50

Pudding caramel au beurre 120
Puddings renversés au chocolat 118

Riz
Bar à l'orientale 42
Feuilles de vigne farcies 58
Lentilles vertes du Puy et riz pilaf 112
Pilaf de haddock 41
Risotto aux champignons des bois 108
Riz aux légumes verts 104-105
Riz brun au basilic 115
Salade de riz brun 105

Salades
Salade de haricots secs, assaisonnement
aux pacanes 107
Salade de riz brun 105
Salade tiède de pâtes au thon 40

Soupes
Bortsch 27
Chaudrée de crevettes 22-23
Crème de carottes et de lentilles 23
Crème de champignons sauvages 21
Gaspacho aux haricots secs 27
Potage froid au cresson 20
Soupe au pistou 26
Soupe de tomates et de pois chiches 28
Soupe mexicaine aux haricots pinto 18
Velouté de poivron rouge grillé 29
Vichyssoise aux pommes de terre
et épinards 30